OS CAMINHOS DE Mandela

LIÇÕES DE VIDA, AMOR E CORAGEM

RICHARD STENGEL

TRADUÇÃO
DOUGLAS KIM

EDITORA GLOBO

Esta tradução foi publicada em acordo com a Crown Publisher's uma divisão da Random House, Inc.

Título original: Mandela's Way
Tradução: Douglas Kim
Preparação de texto: Beatriz de Freitas Moreira
Revisão: Ana Maria Barbosa / Jamilson Jose Alves da Silva
Projeto gráfico, paginação e capa: epizzo
Imagem de capa: Louise Gubb/CORBIS SABA

Texto fixado conforme as regras do novo Acordo Ortográfico da Língua Portuguesa (Decreto Legislativo nº 54, de 1995).

2ª reimpressão, 2010

Dados Internacionais de Catalogação na Publicação (CIP)
(Câmara Brasileira do Livro, SP, Brasil)

Stengel, Richard
Os caminhos de Mandela : lições de vida, amor e coragem / Richard Stengel ; tradução Douglas Kim. – São Paulo : Globo, 2010.

Título original: Mandelas`s way : fifteen lessons on life, love and courage.
ISBN 978-85-250-4608-6

1. Ativistas pelos direitos humanos - África do Sul - Biografia 2. Conduta de vida 3. Mandela, Nelson, 1918- 4. Movimentos antiapartheid - África do Sul I. Título.

10-01790 CDD-920.93234

Índices para catálogo sistemático:
1. África do Sul : Ativistas pelos direitos humanos : Biografia 920.93234

EDITORA GLOBO S.A.
Av. Jaguaré, 1485 – São Paulo, SP, Brasil
05346-902
www.globolivros.com.br

Para Anton e Gabriel

Prefácio

Na África existe um conceito conhecido como *ubuntu* – o sentimento profundo de que somos humanos somente por intermédio da humanidade dos outros; se vamos realizar qualquer coisa neste mundo, ela será devida em igual medida ao trabalho e às realizações dos outros. Richard Stengel é uma dessas pessoas que facilmente compreendem essa ideia. Ele é um excelente escritor, com um profundo conhecimento da nossa história. Somos muito gratos a ele por sua colaboração na criação de *Long walk to freedom* [Longo caminho para a liberdade]. Temos lembranças ternas das muitas horas de conversas e trabalho árduo que realizamos nesse projeto. Ele mostrou ter uma notável percepção sobre os muitos e complexos desafios da liderança que ainda fazem frente ao mundo de hoje e a todos os seus indivíduos. Todos podem aprender com isso.

Nelson Mandela, novembro de 2008

Introdução
Um homem complexo

DESEJAMOS TER HERÓIS, mas existem muito poucos. Nelson Mandela talvez seja o último herói puro do planeta. É o símbolo sorridente do sacrifício e da integridade, reverenciado por milhões como um santo vivo. Mas essa imagem é unidimensional. Ele seria o primeiro a lhe dizer que está longe de ser um santo – e isso não é falsa modéstia.

Nelson Mandela é um homem de muitas contradições. Tem a casca grossa, mas se fere facilmente. É sensível ao modo como os outros se sentem, mas com frequência ignora aqueles que estão mais próximos. É generoso com relação a dinheiro, mas conta os centavos quando dá uma gorjeta. Não pisa um grilo ou uma aranha, mas foi o primeiro comandante do braço armado do Congresso Nacional Africano (CNA). É um homem do povo, mas se deleita na companhia de celebridades. É ávido por agradar, mas não teme dizer não. Não gosta de colher louros, mas vai deixá-lo saber quando deve recebê-los. Cumprimenta todos na cozinha, mas não sabe o nome de todos os seus seguranças.

Sua *persona* é uma mistura de realeza africana e aristocracia britânica. É um *gentleman* vitoriano em um *dashiki* de seda.[1] Seus modos são refinados – afinal, ele os aprendeu em escolas coloniais britânicas, com diretores que leram Dickens quando Dickens ainda estava escrevendo. Ele é formal: vai inclinar-se levemente e estender o braço para ceder-lhe a passagem. Mas não é nem um pouco afetado ou certinho – fala com detalhes quase cirúrgicos sobre a rotina dos banheiros na prisão da Ilha Robben ou como se sentiu quando seu prepúcio foi cortado durante o ritual de circuncisão tribal, quando tinha dezesseis anos. Usa talheres de prata quando está em Londres ou Johannesburgo, mas quando está na sua região natal, Transkei, prefere comer com as mãos, como é o costume local.

Nelson Mandela é meticuloso. Retira lenços de papel de uma caixa e dobra cada um novamente antes de colocá-los no bolso. Eu o vi retirar um dos sapatos durante uma entrevista para desvirar uma meia, quando reparou que ela estava ao contrário. Na prisão, fez uma cópia de cada carta que

1 *Dashiki*: tradicional vestimenta masculina da África Ocidental. (N. T.)

escreveu durante duas décadas e manteve uma lista detalhada de todas as cartas que recebeu, com as datas de recebimento e de resposta. Dorme em um dos lados de uma cama *king-size*, enquanto o outro lado permanece intacto e intocado. Levanta-se antes do alvorecer e faz a cama, meticulosamente, toda manhã, esteja em casa ou em um hotel. Vi a expressão de espanto de camareiras quando o encontraram fazendo a cama. Odeia atrasos e considera a falta de pontualidade uma falha de caráter.

Nunca conheci um ser humano que consiga ficar parado como Nelson Mandela. Quando está sentado ou ouvindo, não mexe os dedos das mãos, ou os pés, não se move. Não tem tiques nervosos. Quando eu ajustava sua gravata, alisava seu terno ou fixava o microfone em sua lapela, era como mexesse em uma estátua. Quando ele o está ouvindo, é como se você estivesse olhando para uma fotografia dele – mal se repara se está respirando.

É um espírito encantador e confiante de que irá seduzi-lo, por quaisquer meios possíveis. É atencioso, cortês, cativante e, para usar uma palavra que ele odiaria, sedutor. E trabalha nisso. Aprenderá o máximo que puder sobre você antes de encontrá-lo. Quando foi solto, lia os artigos dos jornalistas e os elogiava individualmente, com detalhes específicos. E, como a maioria dos grandes sedutores, ele próprio é facilmente seduzido – pode-se conseguir isso ao deixá-lo perceber que o persuadiu.

O encanto é tanto político como pessoal. A política é, em última análise, convencer, e ele considera a si mesmo não tanto um Grande Comunicador, mas um Grande Convencedor. Ele irá convencê-lo por meio da lógica e do argumento ou por meio do charme – geralmente uma combinação de ambos. Ele sempre irá convencê-lo a fazer algo, em lugar de ordená-lo. Mas se for necessário, dará ordens para que você faça algo.

Ele necessita que gostem dele. Gosta de ser admirado. Odeia desapontar. Quer que, depois de encontrá-lo, você vá embora pensando que ele é tudo o que sempre imaginou. Isso exige uma tremenda energia, e ele se entrega a quase todo mundo que encontra. Quase todos veem o Mandela Completo. Exceto quando está cansado. Então seus olhos caem a meio mastro e ele parece estar dormindo em pé. Mas nunca conheci um homem que se reanimasse tanto com uma noite de sono. Ele pode dar a impressão de estar à porta da morte às dez da noite, e então, oito horas depois, às seis da manhã, vai estar lépido e vinte anos mais novo.

Seu charme está em proporção inversa ao quanto ele o conhece. É afetuoso com estranhos e frio com os íntimos. O sorriso caloroso e afável é concedido a cada nova pessoa que entra em sua órbita. Mas o sorriso é reservado para os de fora. Eu o vi muitas vezes com seu filho, suas filhas, suas irmãs – o Nelson Mandela que eles conhecem muitas vezes parece ser um homem severo e sisudo, que não é indulgente com os problemas deles. É um pai vitoriano/africano, não um pai moderno. Quando você lhe pergunta sobre algo de que não quer falar, mantém o rosto com o cenho franzido de desagrado. Sua boca se transforma em uma caricatura invertida do seu sorriso. Não tente forçar a questão – ele simplesmente vai ficar impassível e desviar a atenção para outro lugar. Quando isso ocorre, é como um dia ensolarado que de súbito fica nublado.

Mandela é indiferente a quase todos os bens materiais – não conhece ou não se importa com marcas de carros, sofás ou relógios –, mas o vi enviar um segurança, que teve de dirigir por uma hora, para buscar sua caneta favorita. Ele é generoso com seus filhos quando se trata de dinheiro, mas não conte com sua generosidade se você é garçom. Uma vez, almoçamos em um restaurante elegante de um hotel em Johannesburgo, onde ele foi magnificamente servido. A conta chegou a mais de mil rands e vi Mandela examinar algumas moedas em sua mão e deixar uns poucos trocados. Depois que ele foi embora, passei uma nota de cem rands ao garçom. Não foi a única vez que fiz isso.

Ele vai sempre defender o que acredita ser correto com uma teimosia virtualmente inflexível. Diversas vezes o ouvi dizer: “Isso não é certo”. Fosse algo mundano ou de importância mundial, seu tom de voz era invariável. Eu o ouvi dizer tal frase quando a chave de um segurança não abriu seu escritório e o ouvi dizer a mesma frase diretamente ao presidente sul-africano F. W. de Klerk, referindo-se às negociações constitucionais. Usou-a durante anos na Ilha Robben, quando falava com um guarda ou com o diretor da prisão. *Isso não é certo.* De forma bem básica, essa intolerância à injustiça era o que o instigava. Era o motor da sua insatisfação, seu simples veredicto sobre a básica imoralidade do apartheid. Ele via algo errado e tentava corrigi-lo. Via injustiça e tentava repará-la.

* * *

Como sei de tudo isso?

Colaborei com Nelson Mandela na sua autobiografia. Trabalhamos juntos por quase três anos, e durante grande parte desse tempo o vi quase diariamente. Viajei com ele, fizemos refeições juntos, amarrei seus sapatos, arrumei sua gravata e passamos horas e horas conversando sobre a vida e o trabalho dele.

Meu caminho até Mandela foi acidental. Primeiro, fui até a África do Sul por acaso: consegui o lugar de outro jornalista que cancelou a viagem no último minuto. Com base naquela viagem, escrevi um livro sobre a vida em pequenas cidades na África do Sul sob o apartheid. Quando o editor das futuras memórias de Mandela topou com o meu livro, ofereceu-me a chance de trabalhar com Mandela na história da sua vida.

Foi assim que me vi em Johannesburgo em dezembro de 1992, esperando para encontrar Nelson Mandela. Era uma época difícil e incerta na história da África do Sul, o país corria o risco de cair em guerra civil. Mandela estava fora da prisão havia menos de três anos e lutava para consolidar seu poder e levar o país à primeira eleição democrática de sua história. Trabalhar em sua autobiografia não era exatamente o item número um de sua "lista do que fazer", mas ele queria contar a sua história.

Mandela me deixou esperando por quase um mês antes do nosso primeiro encontro. Quando finalmente aconteceu, quase afundei o projeto. Estava sentado na antessala do seu escritório na sede do CNA, esperando que saísse. Em vez disso, levantei os olhos e ele estava vindo pelo saguão, na minha direção, pelo outro lado. Andava vagarosamente, de forma controlada, quase em câmera lenta. A primeira coisa que notei foi a sua pele – era de um belo caramelo, suave, marrom-amarelado. Seus traços são belamente moldados, com as "maçãs" do rosto salientes e uma expressão quase asiática. Tem 1,87 metro e tudo nele – sua cabeça, suas mãos – parece um pouco maior que a vida. Quando se aproximou, eu me levantei:

"Ah, você deve ser...", ele disse, e então esperou que eu completasse.

"Richard Stengel", completei, e ele estendeu a mão. Era carnuda, quente e seca, os dedos grossos como salsichas, a pele ainda áspera pelas décadas de trabalho pesado.

Examinou-me. "Ah" – disse com um sorriso – "você é homem jovem." As duas últimas palavras foram pronunciadas como uma só: *homejovem*. Isso, claramente, não era um elogio. Gesticulou para que eu fosse até o seu escritório. Era grande, formal e completamente arrumado. Parecia um falso escritório, mas não era. Ele parou para falar algo com sua assistente, uma mulher pequena e vigorosa, que lhe entregou um papel para assinar. Pegou o papel lenta e cuidadosamente – era óbvio que fazia tudo de maneira muito cuidadosa. Sentou-se à sua mesa e começou a lê-lo. Não estava passando os olhos, estava lendo – cada palavra. Então escreveu seu nome lentamente no final, como se ainda estivesse aperfeiçoando sua assinatura.

Caminhou e sentou-se na cadeira de couro gasta em frente ao sofá. Perguntou-me quando havia chegado. Sua voz era levemente indistinta, como um trompete com surdina.

"Você veio somente para esse projeto ou também para algo mais?", perguntou.

Meu coração parou. Sua pergunta insinuava que a autobiografia não era o bastante para justificar uma viagem por si só. Respondi que tinha ido apenas pelo livro. Balançou a cabeça. Não desperdiçava palavras.

Ele me disse que estava planejando sair de férias em 15 de dezembro e que sua equipe tinha reservado quatro ou cinco dias para que conversássemos. Acrescentou que esperava que pudéssemos terminar o projeto antes de suas férias, que ocorreriam em dez dias. Eu tinha passado um mês dando telefonemas sem obter resposta, tentando encontrá-lo, e vários meses de preparação e pesquisa, então talvez tenha sido a frustração guardada que me levou a lhe dizer, em um tom de voz levemente alto: "Quatro ou cinco dias? Se o senhor pensa que pode fazer esse livro em quatro ou cinco sessões, o senhor... o senhor..." – não conseguia encontrar a palavra certa – "está se iludindo".

Estava na presença de Mandela havia menos de dez minutos e tinha insinuado que ele não tinha uma compreensão sólida da realidade. Encarou-me com uma sobrancelha levemente arqueada e então se levantou. Já estava pronto para que eu fosse embora. Então voltou à sua mesa, chamou sua assistente e disse: "O senhor Stengel está aqui e estamos tentando elaborar uma agenda". Disse que tinha um compromisso naquela noite e que não queria me apressar, mas que eu deveria falar com sua assistente na manhã de segunda-feira. Com isso, eu estava fora do seu escritório – e talvez da sua vida.

Na segunda-feira à noite recebi uma ligação dizendo que Mandela gostaria de me ver às sete horas na manhã seguinte. Pontualmente às sete horas nos sentamos na mesma configuração da última vez. "Vamos começar" – ele disse, como se fosse um juiz se preparando para iniciar um julgamento. Limpei a garganta e disse que primeiro gostaria de me desculpar pelo meu comportamento no outro dia. "Desculpe-me, fui tão... tão..." – e parei, novamente pela falta da palavra certa – "tão *brusco* com o senhor naquele dia." A palavra soou estranha e pretensiosa. Ele me encarou e sorriu – um sorriso que era engraçado, compreensivo e um pouco cansado.

"Você deve ser mesmo um jovem muito gentil", ele disse, "se pensa que a nossa conversa no outro dia foi *brusca*." E ele disse a palavra muito cuidadosamente, com um *r* vibrante no começo e um *c* duro no fim.

Eu ri.

Ele esteve na prisão por 27 anos com guardas que, durante grande parte daquele período, trataram-no como se não fosse humano e com uma brutalidade eventual já garantida. Antes disso, fora caçado por policiais e soldados que o consideravam um terrorista a ser detido a qualquer custo. Vivia em um país onde a classe dominante branca não o considerava ou tratava como um ser humano. Tudo isso era um pouco mais que brusco.

E assim foi o começo da nossa amizade. Nos dois anos seguintes, acumulei mais de setenta horas de entrevistas com ele, mas isso esvanecia em comparação às horas, aos dias e meses que passamos na companhia um do outro. Decidi desde o princípio que ficaria ao seu lado tanto quanto ele tolerasse – em reuniões, eventos, férias e viagens de Estado. Passei horas com ele em sua casa em Houghton, viajei com ele à sua casa de campo em Transkei e fui com ele para os Estados Unidos, para a Europa e a todos os lugares na África. Fiz campanha com ele, compareci a rodadas de negociação, tornei-me, tanto quanto pude, sua sombra. Mantive um diário do meu tempo com ele, que no fim chegou a 120 mil palavras. Muito deste livro vem dessas notas.

Qualquer um que tenha passado bastante tempo com Nelson Mandela sabe que não é somente um grande privilégio, mas um grande prazer. Sua presença é preciosa, luminosa. Você se sente um pouco mais alto, um pouco superior. A maior parte do tempo ele é "para cima", confiante, generoso, divertido. Mesmo quando o peso do mundo estava sobre os seus ombros, ele o aceitava alegremente. Quando você está com ele, sente que está vivendo a história enquanto ela está sendo feita. Ele me deixou entrar em grande parte de sua vida, em alguns de seus pensamentos e em um pouco de seu coração. Foi o homem que insistiu para que me casasse com a mulher sul-africana que se tornou minha esposa e posteriormente se tornou padrinho do meu filho. Eu o amava. Ele foi a causa de grande parte das melhores coisas que aconteceram na minha vida. Ao deixar a sua companhia, quando o livro finalmente estava terminado, foi como se o sol estivesse apagando-se. Vimos um ao outro muitas vezes ao longo dos anos, e ele passou um tempo com meus dois meninos, que o consideram um avô gentil. Mas não é mais uma presença regular em nossas vidas. Este livro é tanto um agradecimento pelo tempo que ele me deu e pela afeição por mim quanto um presente para os que não puderam se beneficiar da sua generosidade e sabedoria.

* * *

Nelson Mandela teve muitos professores em sua vida, mas o maior de todos foi a prisão. A prisão moldou o homem que vemos e conhecemos hoje. Ele aprendeu sobre a vida e a liderança a partir de muitas fontes: o pai distante; o rei de Thembu, que o criou como filho; seus amigos e companheiros leais, Walter Sisulu e Oliver Tambo; figuras históricas e chefes de Estado, como Winston Churchill e Hailé

Selassié; as palavras de Maquiavel e Tolstói. Mas os 27 anos que passou na prisão tornaram-se o teste que o fortaleceu e consumiu tudo o que era insignificante. A prisão ensinou-lhe autocontrole, disciplina e foco – as qualidades que considera essenciais à liderança – e ensinou-lhe como se transformar num ser humano completo.

O Nelson Mandela que saiu da prisão aos 71 anos era um homem diferente do que entrou nela aos 44. Vejam essa descrição do jovem Mandela feita pelo seu amigo mais próximo e ex-sócio, Oliver Tambo, que se tornou líder do CNA enquanto Mandela estava na prisão. "Como homem, Mandela é entusiasmado, emotivo, sensível, facilmente melindrado ao rancor e à retaliação pelo insulto e pela condescendência."

Emotivo? Entusiasmado? Sensível? Facilmente melindrado? O Nelson Mandela que saiu da prisão não é nenhuma dessas coisas, ao menos aparentemente. Hoje, ele consideraria todos esses adjetivos censuráveis. Realmente, uma das maiores críticas que ele dirige a alguém é que é "emotivo" ou "muito entusiasmado" ou "sensível". Repetidamente, as palavras que o ouvi usando para elogiar os outros foram "equilibrado", "ponderado", "controlado". O elogio que fazemos aos outros é um reflexo de como nos vemos – e aquelas são precisamente as palavras que ele usaria para descrever a si mesmo.

Como esse entusiasmado revolucionário tornou-se um homem de Estado ponderado? Na prisão, tinha de moderar suas respostas para tudo. Havia pouco que um prisioneiro pudesse controlar. A única coisa que você podia controlar – que você *tinha* de controlar – era você mesmo. Não havia lugar para o impulso, a autoindulgência ou a falta de disciplina. Ele não tinha zona de privacidade. Quando entrei pela primeira vez na antiga cela de Mandela na Ilha Robben, assustei-me. Não havia espaço para um ser humano, era muito menor que o tamanho de Mandela. Ele não podia se esticar quando estava deitado. Era óbvio que a prisão o tinha moldado, literal e figurativamente: não havia espaço para movimento insignificante ou emoção, tudo tinha de ser aparado, tudo tinha de ser ordenado. Toda manhã e toda noite ele arrumava cuidadosamente os poucos bens que fora autorizado a ter naquela cela minúscula.

Ao mesmo tempo, tinha de continuar a ser forte, todos os dias, diante das autoridades. Era o líder dos prisioneiros e não podia se degradar; todo mundo via ou percebia instantaneamente quem recuava ou fazia concessões. Ele se tornou ainda mais consciente do modo como era visto por seus companheiros. Embora tivesse sido isolado do mundo, a prisão era seu próprio universo e ele tinha de liderar lá tanto quanto, ou mais, do que quando saiu. E em meio a tudo isso tinha tempo – muito tempo – para pensar, planejar e aperfeiçoar, e então aperfeiçoar ainda mais. Durante 27 anos ponderou não somente sobre política, mas sobre como se comportar, como ser um líder, como ser um homem.

Mandela não é introspectivo – ao menos, não no sentido de que irá falar sobre seus sentimentos ou pensamentos íntimos. Muitas vezes ficou frustrado – e, às vezes, irritado – quando tentei que analisasse seus sentimentos. Ele não é fluente nas línguas modernas da psicologia ou da autoajuda. O mundo no qual foi criado não foi afetado por Sigmund Freud. Ele medita muito sobre o passado, mas raramente fala sobre ele. Houve apenas um momento de autocomiseração que presenciei. Estávamos falando da sua infância e ele ficou olhando para longe e disse: "Sou um velho que só pode viver no passado". E isso foi na época em que estava se preparando para ser presidente da nova África do Sul e criar uma nova nação – o momento do seu maior triunfo.

Contudo, mais e mais eu lhe perguntava sobre como a prisão o tinha transformado. Quanto o homem que tinha saído em 1990 era diferente do que tinha entrado em 1962? Essa pergunta o irritava. Ou ele a ignorava, indo direto a uma resposta política, ou recusava a premissa. Finalmente, um dia, disse-me, exasperado: "Saí maduro".

Saí maduro.

O que ele queria dizer com essas palavras? André Malraux escreveu em suas memórias que o mais raro no mundo é o homem maduro. Mandela concordaria com ele. Para mim, essas duas palavras são a pista mais profunda para saber quem Mandela é e o que aprendeu. Porque aquele jovem sensível, emotivo, não desapareceu. Ainda está dentro do Nelson Mandela que vemos hoje. Com maturidade ele queria dizer que aprendeu a controlar aqueles impulsos mais juvenis, não que não fosse mais melindrado, ou magoado, ou que não ficasse bravo. Não significa que você sempre sabe o que ou como fazer; significa que você consegue comprimir as emoções e as ansiedades que interferem no modo de ver o mundo como é. Você consegue ver por intermédio delas e ver a si completamente.

Ao mesmo tempo, ele compreendeu que nem todo mundo pode ser Nelson Mandela. A prisão o endureceu, mas destruiu muitos outros. Entender isso o tornou mais empático, não menos. Nunca foi senhor absoluto sobre os que não conseguiram. Nunca culpou ninguém por ceder. Capitular era apenas humano. Ao longo dos anos, desenvolveu um radar e uma profunda simpatia pela fragilidade humana. De certo modo, estava lutando pelo direito de todo ser humano não ser tratado da maneira como ele o fora. Ele nunca perdeu a suavidade e a sensibilidade daquele jovem, apenas desenvolveu uma concha mais dura e mais invulnerável para protegê-lo.

É impossível escrever sobre Nelson Mandela nesses dias e não compará-lo a outro líder negro potencialmente transformador, Barack Obama. Os paralelos são muitos. Fui encontrar Mandela durante as primárias democráticas, em 2008, e perguntei-lhe quem ele preferia, Hillary Clinton ou Barack Obama. Ele sorriu e então balançou o dedo no gesto universal de "você está tentando me deixar em apuros". Não respondeu. Sua prudência é característica.

Esse autocontrole, esse filtro onipresente, é algo que os dois homens compartilham. E enquanto foram 27 anos na prisão que moldaram o Nelson Mandela que conhecemos, o presidente norte-americano de 48 anos parece ter adquirido um temperamento parecido com o de Mandela sem os longos anos de sacrifício. A autodisciplina de Obama, a disposição para ouvir e compartilhar o crédito, a inclusão dos rivais em sua administração e a crença de que as pessoas querem que as questões sejam explicadas, tudo parece uma versão do século XXI dos valores e da *persona* de Mandela. Enquanto a visão de mundo de Mandela foi forjada no caldeirão da política racial, Obama está criando um modelo político pós-racial. O que quer que Mandela pense ou não sobre o novo presidente norte-americano, Obama é, de várias maneiras, seu verdadeiro sucessor no palco mundial.

Porém a vida de Mandela é um modelo não apenas para a nossa própria época, mas para todas as épocas. As lições que você está prestes a ler são aquelas que acredito que ele aprendeu não somente na prisão, mas ao longo de toda a sua vida. Elas estão entre as coisas que o tornam um líder e um ser humano exemplar.

Não, nem todo mundo pode ser Nelson Mandela. Ele lhe diria para ser grato por isso. Felizmente, poucos de nós precisam suportar em nossas próprias vidas o que ele teve de suportar na dele. Mas isso não significa que essas lições não são aplicáveis ao nosso dia a dia. Elas são. Sei disso porque a minha vida foi intensificada por causa delas. Para Mandela, a prisão refinou as lições de vida e liderança, e eu tentei fazer o mesmo neste livro. Você pode aprendê-las por uma fração do que ele teve de pagar.

1

Coragem

NÃO É AUSÊNCIA DE MEDO

A MAIORIA DAS PESSOAS diria que Nelson Mandela personifica a coragem. Mas o próprio Mandela define coragem de modo curioso. Ele não a vê como inata, ou um tipo de elixir que podemos beber, ou aprender de algum modo convencional. Ele a vê como a maneira que *escolhemos* ser. Nenhum de nós nasce corajoso, ele diz. Tudo está na maneira como reagimos a diferentes situações.

Houve muitos momentos na vida de Mandela nos quais ele foi testado. Aqueles que as pessoas conhecem foram grandes, públicos e dramáticos. Mas a coragem, ele diz, está na atividade cotidiana, e podemos mostrá-la de maneira ampla ou estrita. Tive um vislumbre da natureza da sua coragem em Natal, em 1994, durante o período final da primeira eleição democrática da África do Sul, quando a violência política atingia níveis epidêmicos. Ele escolheu voar para Natal em um pequeno bimotor para fazer um discurso aos seus partidários zulus. Provavelmente não deveria ter ido. Na época, muitos dos seus partidários zulus estavam sendo assassinados pelo rival Partido da Liberdade Inkatha, também zulu, e a situação estava longe de ser segura. Mas ele estava firme.

Concordei em esperar seu voo no aeroporto. Quando o avião estava a vinte minutos de aterrissar, um funcionário do aeroporto veio até mim para dizer que um dos motores do pequeno avião tinha parado de funcionar e que eles estavam planejando colocar caminhões de bombeiros e ambulâncias na pista, caso algo desse errado. O funcionário disse que em tais casos o piloto geralmente conseguia pousar sem incidentes.

Mandela estava no avião com apenas um segurança – Mike era o seu nome – e dois pilotos. Vinte minutos mais tarde, cercado de caminhões de bombeiros e ambulâncias, o avião fez uma aterrissagem levemente cambaleante. Um sorridente Nelson Mandela entrou no pequeno *lounge*, onde foi assediado por vários turistas japoneses. Como era de esperar, ele foi solícito ao cumprimentar cada um e posou com um grande e largo sorriso para quem quisesse uma fotografia.

Enquanto Mandela posava, juntei-me a Mike, que me disse que no segundo terço da viagem Mandela inclinou-se até ele, apontou para fora da janela e calmamente disse que a hélice parecia não estar funcionando. Pediu-lhe que informasse os pilotos. Mike foi até a cabine. Os pilotos estavam completamente cientes disso e disseram-lhe que tinham contatado o aeroporto e que procedimentos de pouso de emergência tinham sido acionados. Provavelmente tudo ficaria bem, disseram. Mike contou isso a Mandela, que silenciosamente balançou a cabeça e voltou a ler o seu jornal. Mike, que não era um viajante de avião experiente, disse que estava tremendo de medo e que a única coisa que o acalmou foi ficar olhando para Mandela, que continuava a ler o jornal como se fosse um passageiro comum tomando o trem matutino para o escritório. Mike disse que Mandela mal levantou os olhos do jornal quando o avião estava aterrissando.

Quando Mandela terminou os cumprimentos, fomos levados ao banco traseiro de um BMW blindado que nos levaria ao evento. Perguntei-lhe como havia sido o voo e ele se inclinou, abriu bem os olhos e com uma voz dramática disse: "Homem, estava *morrendo de medo* lá em cima!".

Embora possa surpreender as pessoas que o conhecem apenas como um ícone, não consigo dizer-lhes quantas vezes ele me contou durante nossas entrevistas que tivera medo. Teve medo durante o Julgamento de Rivonia, que o sentenciou à prisão perpétua, teve medo quando os carcereiros na Ilha Robben ameaçaram espancá-lo, quando era um fugitivo conhecido na imprensa como o "Pimpinela Negro",[1] quando secretamente começou a negociar com o

1 Pimpinela Negro": inspirado pelo romance *Pimpinela escarlate*, da baronesa Emmuska Orczy. (N. T.)

governo, durante o período turbulento antes da eleição que o tornaria presidente da África do Sul. Nunca teve receio de dizer que teve medo.

Sua ideia de coragem foi formada precocemente. Desde garoto Mandela ouvia histórias sobre a bravura de lendários líderes africanos, como Dingane, Bhambootha e Makana. Depois que seu pai morreu, quando tinha nove anos, foi levado a uma vila real chamada Mqhekezweni para ser criado por Jongintaba, o rei do povo Thembu. O pai de Mandela havia sido um líder local e também conselheiro do rei. O rei queria preparar o jovem Nelson para que se tornasse conselheiro do filho, quando este se tornasse rei. O rei via a si mesmo em uma longa linhagem de heróis africanos e seguia as tradicionais cerimônias e rituais xhosa. Uma dessas cerimônias perseguiu Mandela pelo resto da vida.

Em janeiro de 1934, quando tinha dezesseis anos, ele e outros 25 meninos da mesma idade foram isolados em duas cabanas nas margens do rio Mbashe. Eram a elite dos meninos da vila. Seus corpos foram totalmente depilados, cobertos com pintura branca e usavam mantas sobre os ombros. Pareciam fantasmas. Ansiosos e tensos, estavam se preparando para o ritual xhosa de circuncisão, o que Mandela chamou de "passo essencial, necessário, na vida de todo macho xhosa". Não era um ritual privado, mas público, e o rei, os líderes e um grupo de amigos e parentes estavam sentados ao lado do rio. Não era apenas um rito de passagem, mas um teste público de coragem. Um menino de cada vez era circuncidado por um *ingcibi* (um especialista em circuncisão). Aqui, o relato de Mandela sobre o que aconteceu, de acordo com seu diário inédito:

> Subitamente, houve uma excitação e um velho magro passou rapidamente rumo à minha esquerda e se agachou diante do primeiro menino. Poucos segundos depois, ouvi esse menino dizer "*Ndiyindoda!*" (Sou um homem!). Então Justice [o filho do rei e melhor amigo de Mandela] repetiu a palavra, seguido, um após o outro, pelos três meninos entre nós. O velho estava se movendo rápido e, antes que eu entendesse o que estava acontecendo, ele estava diante de mim. Olhei direto nos seus olhos. Ele estava extremamente pálido e, embora o dia estivesse frio, seu rosto estava brilhando de suor. Sem dizer uma palavra, pegou e puxou o meu prepúcio e passou o *assegai*.[2*] Foi um corte perfeito, limpo e redondo como um anel. Em uma semana a ferida cicatrizou, mas sem anestesia a incisão era como se chumbo derretido estivesse correndo nas minhas veias. Por segundos, esqueci-me do refrão e tentei absorver o choque do *assegai* afundando minha cabeça e meus ombros em uma cerca de relva. Recuperei-me e só consegui repetir a fórmula "*Ndiyindoda!*" (Sou um homem!). Os outros meninos pareciam muito mais fortes e repetiram o refrão pronta e claramente quando chegou a vez de cada um.

2 *Assegai*: lança com ponta de ferro. (N. T.)

Quando me recontou essa história, quase sessenta anos depois da tarde de inverno em que ocorreu, Mandela estava triste, quase com dor. E não porque estava relembrando a sensação física da operação, mas porque acreditava que não tinha reagido bem. A dor do procedimento tinha desaparecido, mas não a de ter sido fraco. "Vacilei", disse, olhando para baixo. "Não gritei com a voz firme." Ele sentia que os outros meninos tinham sido mais corajosos, mais fortes. Disse que descobriu que não era naturalmente corajoso – talvez nenhum de nós seja – e que teve de aprender a sê-lo. Estava desapontado consigo mesmo, todos esses anos depois, mas o ritual teve seu efeito pretendido: decidiu que sempre pareceria forte, que nunca pareceria vacilar.

* * *

Nos primeiros meses de nossas entrevistas, quando estávamos conversando sobre a sua relação com a polícia, ou quando estava na clandestinidade, perguntava se tivera medo. Ele olhava para mim como se eu fosse um néscio e dizia: "Claro que tive medo. Somente um tolo não teria medo", ele dizia. Mas em cada ocasião, ele relatava, fazia tudo que podia para conter seu medo – simplesmente resistia a deixar que qualquer pessoa visse que ele pudesse estar com medo.

Coragem não é a ausência de medo, ele me ensinou. É aprender a superá-lo.

Na década de 1950, ele dirigiu até Free State para se encontrar com James Moroka, o presidente elegante e à moda antiga do Congresso Nacional Africano. Moroka precisava aprovar uma carta de protesto que Mandela tinha redigido para enviar ao primeiro-ministro sul-africano. No caminho, em uma pequena vila no Free State, uma das áreas mais conservadoras da África do Sul, o carro de Mandela raspou em um menino branco sobre uma bicicleta. O menino balançou, mas não ficou machucado. A primeira coisa que Mandela fez foi se abaixar e esconder uma cópia do *New Age*, o jornal favorito dos membros do CNA, que estava no banco da frente do carro. Apenas possuir uma cópia da publicação proibida, naqueles dias, poderia render uma sentença de cinco anos de prisão. Um sargento chegou momentos depois, examinou o garoto e ele me disse:"*Kaffer, jy sal kak vandag!*" (*Kaffer,*[3] você vai cagar hoje!). Mandela respondeu: "Não preciso de um policial para me dizer onde cagar". Ele fez uma pausa quando contava a história, e então disse: "Decidi ser agressivo, mas estava com medo. Posso fingir que sou corajoso e que posso derrotar o mundo todo...". E então sua voz sumiu.

Posso fingir que sou corajoso. De fato, foi o que fez. E é como ele descreveria a coragem: fingir ser corajoso. Destemor é estupidez. Coragem é não deixar o medo derrotá-lo. Quando o policial avançou em sua direção, Mandela disse-lhe para ser cauteloso, pois ele era um advogado e poderia arruinar sua carreira. Então, como Mandela descreve em seu diário da Ilha Robben, "ninguém teria ficado mais surpreso do que eu mesmo, quando notei o sargento

3 *Kaffer*, ou *kaffir*, é uma denominação racista da África do Sul. (N. T.)

hesitar". Tinha funcionado. Naquela mesma noite o policial o deixou seguir seu caminho.

Mandela conta uma história similar sobre a sua primeira viagem à Ilha Robben, em maio de 1963. Ele estava cumprindo uma sentença de cinco anos por deixar o país sem autorização. No meio da noite, ele e alguns outros foram informados por um carcereiro sarcástico que iriam para um lugar bonito – *Die Eiland*, como eles dizem em africânder. Junto com Mandela estava um velho prisioneiro chamado Steve Tefu, membro do Partido Comunista, que era genioso. Mandela relembra que quando chegaram à ilha foram conduzidos como rebanho. Mandela e Tefu estavam ficando para trás e, como Mandela relembra, um guarda disse: "Ei, vamos matá-los aqui; e seus pais, seu povo, nunca saberão o que aconteceu com vocês. E esse é o último aviso!". Ao alcançarem a cela principal, os guardas gritaram em africânder: "*Trek uit! Trek uit!*" ("Tirem a roupa").

Quando os prisioneiros estavam nus, os guardas começaram a importunar um deles em particular. Mandela relembra: "O capitão perguntou para um de nós: 'Por que o seu cabelo é comprido?'. Depois escolheu outro, sabe, que era muito gentil, um *gentleman* que não queria brigar com ninguém, que não machucaria uma mosca, e estava com dificuldade para responder. Então o capitão disse: 'Estou falando com você! Você sabe as regras! Seu cabelo deveria ter sido cortado! Por que você deixou seu cabelo como o desse cara?'", e apontou diretamente para Mandela. Mandela prossegue: "Então eu lhe respondi: 'Veja bem...'. Oh, foi o suficiente! Não pude continuar com a frase. Ele gritou: 'Nunca fale comigo desse jeito!', e começou a avançar".

Mandela interrompeu o relato e então se inclinou para a frente, na sua cadeira. Seu olhar era longínquo. "Estava claro que ele ia me agredir e devo confessar... devo confessar que estava com medo. Você não pode se defender, não pode revidar."

E apesar disso ele se defendeu. Disse ao capitão: "'Se você ousar me tocar, vou levá-lo à mais alta corte do país e, quando tiver acabado com você, você vai ser tão pobre quanto um rato de igreja'. Bem, ele parou... Eu estava com medo. Não foi porque eu era corajoso, mas alguém tinha de parecer corajoso".

Alguém tinha de parecer corajoso. Às vezes, é apenas por meio da dissimulação da coragem que você descobre a verdadeira coragem. Às vezes, a dissimulação *é* a sua coragem.

Na prisão, a coragem era demonstrada a cada dia. Não era apenas em ocasiões nas quais alguém tinha de ser forte, publicamente, diante de um guarda – estava simplesmente em andar ereto, manter sua dignidade diária, seu senso de otimismo e esperança. Um dia, em 1969, um carcereiro foi até a cela de Mandela com notícias devastadoras: seu filho mais velho, Thembi, tinha morrido em um acidente de automóvel. Foi uma das poucas vezes, em todos aqueles anos, que Mandela não saiu da sua cela durante o dia. Walter Sisulu, seu amigo mais antigo, foi o único a visitá-lo e eles ficaram sentados em silêncio, segurando-se as mãos.

No dia seguinte Mandela foi até a pedreira de calcário para trabalhar, como todos os outros prisioneiros. Quando lhe perguntei sobre a morte de seu filho, ele disse que foi algo quase impossível de suportar, mas tinha de mostrar aos guardas e aos seus companheiros presos que não ficara inutilizado por isso. Mais uma vez, dissimulou. Julgou que não tinha opção.

Achamos que os outros ficam nervosos ao encontrar Mandela, mas com frequência ele ficava nervoso ao encontrar os outros. Estava especialmente ansioso na primeira vez em que se encontrou com o presidente sul-africano P. W. Botha. Botha era conhecido como *Die Groot Krokodil*, O Grande Crocodilo, por causa dos seus modos bruscos e tempestuosos e sua maneira autocrática de governar. Mandela estava então em seus últimos dias de sentença e seria a primeira vez que um integrante preso do CNA se encontraria com o presidente sul-africano. Em sua cabeça, ensaiou o que diria e o que faria. Se pudesse, tomaria a iniciativa. Por essa razão, deliberadamente atravessou a sala e cumprimentou Botha com um aperto de mão forte e um vasto sorriso. Desarmou o presidente sul-africano com sua própria afabilidade e modos informais, algo que tinha planejado e praticado. Disfarçou.

No começo da década de 1980, não muito antes de Mandela ser transferido da Ilha Robben, um prisioneiro levou uma cópia das obras reunidas de Shakespeare para todos os prisioneiros políticos da ala C e pediu que marcassem suas passagens favoritas. Mandela não hesitou. Foi até *Júlio César*, ato 2, cena 2, e marcou o trecho:

Covardes morrem muitas vezes antes de suas mortes
O bravo sente o gosto da morte uma única vez.
De tudo que vi
O mais estranho é que os homens tenham medo,
Já que a morte, um fim necessário
Vem quando vem.

Um covarde poderia selecionar essa passagem para dar a impressão de que era corajoso, mas para Mandela a passagem não é uma bravata, mas uma simples afirmação da realidade. Finja que é corajoso e você não apenas se torna corajoso, você *é* corajoso.

Mandela não vê a coragem como uma província de poucos. Alguns são muito testados, mas todo mundo é testado de alguma forma. Ele sempre me disse que sua esposa Winnie tinha sido muito mais corajosa que ele, apesar de ele ter estado na prisão por mais tempo que ela. Enquanto ele estava afastado dos problemas diários da vida, explicou, ela tinha de lutar contra as dificuldades sob o apartheid e criar duas meninas.

O maior elogio de Mandela a alguém que ele considera corajoso é "Ele fez muito bem". Com isso, ele não quer dizer que a pessoa foi um herói dramático ou que arriscou sua vida em um grande esforço, mas que, todo dia, permaneceu firme sob circunstâncias difíceis, que todo dia resistiu a ceder ao medo e à ansiedade. Todos somos capazes desse tipo de coragem – e, felizmente, é a única forma de coragem que a maioria de nós tem de demonstrar.

2

SEJA ponderado

CERTA VEZ, eu estava sentado ao lado de Mandela no banco de trás de seu BMW blindado e o motorista estava perdido. Isso não era incomum – sua comitiva muitas vezes ia adiante de modo enviesado. O motorista acelerava e derrapava nas curvas, como se quisesse compensar um atraso. Mandela inclinou-se para a frente e lhe disse: "Vamos ficar calmos, homem".

Vamos ficar calmos. No meio de situações turbulentas, Mandela é calmo e procura a calma nos outros. Realmente, ele irradia calma. Perca o controle e você perde a situação. Ahmed Kathrada esteve na prisão com Mandela por quase três décadas e diz que somente o viu bravo em duas ocasiões – e ambas envolviam carcereiros insultando Winnie. Sim, pode haver situações que exijam uma explosão ou uma resposta arrebatada, mas Mandela dizia que elas são muito raras e que têm de ser calculadas, não espontâneas. O controle é a medida do líder – na verdade, de todos os seres humanos. A calma, ele sempre diz, é o que as pessoas procuram nas situações tensas, sejam políticas ou pessoais. Elas querem ver que você não está confuso, que está pesando todos os fatores e que sua resposta é ponderada.

Em 1993, a África do Sul estava no fio da navalha. Enquanto Mandela prosseguia com suas negociações com o governo sobre uma nova Constituição e a data da eleição democrática, havia grupos dentro do país tentando minar esse novo arranjo, incluindo militares de extrema direita que estavam mostrando sua força e ameaçando com a violência. Em seu próprio movimento, o Congresso Nacional Africano, alguns estavam questionando a autoridade de Mandela, sugerindo que ele estava sendo muito conservador, confiando demais no governo, e que jovens líderes como Chris Hani, o chefe do braço armado da CNA, deveriam ser lançados à frente.

Depois de Mandela, Hani era então o segundo líder mais popular na África do Sul. Sempre vestido de uniforme e boina informalmente inclinada, Hani fazia o papel dinâmico. Parecia o oposto de Mandela: enquanto Mandela dizia esqueça e perdoe, Hani dizia lembre e retalie; enquanto Mandela falava baixinho, Hani gritava; enquanto Mandela falava sobre manter a tradicional economia branca funcionando, Hani, um comunista, incitava à redistribuição das riquezas ao povo. Havia aqueles no CNA que consideravam que Hani, então um vigoroso homem de 51 anos, era o futuro do partido e da África do Sul, em lugar de Mandela. Parecia ser o momento de Hani. A África do Sul corria o grave risco de uma guerra civil total entre brancos e negros. A direita branca estava se armando para uma luta e havia aqueles à esquerda, como Hani, que estavam incitando as pessoas a se preparar para a batalha. O pesadelo de uma guerra racial nacional parecia prestes a se tornar realidade.

Em abril daquele ano, fui com Mandela para sua casa em Transkei, a parte rural da África do Sul onde ele cresceu. A casa de Mandela pode ser vista do vale onde ele nasceu. "Todo homem", ele me disse certa vez, "deve ter uma casa perto de onde nasceu." A casa em si era então despretensiosa, uma construção de um andar com formato em "L". Fica no meio do verde e de montes pedregosos – o *veldt*, como os sul-africanos o chamam – onde ele costumava brincar quando menino. O que muita gente acha curioso a esse respeito é que foi projetada a partir da casa onde ele ficou no Presídio Victor Verster, seu último endereço antes de ser solto em 1990. Uma vez perguntei-lhe a respeito disso e ele sorriu. Disse que tinha gostado muito daquela casa; quando soube que iria construir uma para si em Transkei, pediu à administração do presídio uma planta e um projeto.

A casa em si está atrás da estrada principal e fora da vista de qualquer outra moradia. Tem um portão modesto e uma entrada sinuosa. Mesmo que seja relativamente remota e a residência de uma figura histórica e renomada, pessoas das vilas próximas – mulheres enroladas em mantas, velhos com bengalas – perambulam por lá, ficam sentados ou de pé no jardim da frente, aguardando para uma visita de cortesia, ou para serem alimentados, ou ambos. É o costume local e tem sido assim por centenas de anos. Ninguém marca horário, as pessoas simplesmente aparecem.

Mandela renovou seu vigor em Transkei – parecia menos prostrado e mais descansado. Ele sempre se referiu a si mesmo como um menino do interior, o que alguns acham um pouco falso, mas quando você o vê no campo, ainda pode ter um vislumbre daquele menino. Ele gostava de falar com os locais – pessoas que provavelmente nunca tinham se aventurado mais do que quinze quilômetros, em qualquer direção, a partir do local onde viviam. Ria mais, contava piadas em sua língua nativa xhosa, acalentava criancinhas em seu joelho. Mais de meio século antes a maioria das pessoas vivia de maneira muito parecida com a do próprio Mandela...

A outra coisa de que ele gostava quando estava em Transkei eram caminhadas no campo, de manhã cedo. Mandela rotineiramente acordava por volta das quatro e trinta da manhã e saía para a sua caminhada entre cinco e cinco e trinta. Geralmente caminhava de três a quatro horas, retornando entre nove e dez horas. Estive em Transkei com ele uma vez antes, em dezembro. Tanto quanto pude, acompanhei-o em sua caminhada matinal.

Em uma manhã daquela primavera – era 10 de abril –,

cheguei à sua casa faltando cinco minutos para as cinco horas. Ainda estava escuro. Uma dupla de seguranças estava sentada em um carro, ouvindo música. Estava inoportunamente frio e podia vê-los, através das janelas embaçadas, assoprando ar quente nas mãos. Mandela saiu de sua casa um pouco depois das cinco, vestindo seu agasalho preto e dourado favorito. Começou a caminhar para o sul.

A cada manhã, escolhia uma rota diferente, esperando ver algumas paisagens da sua infância ou se deparar com uma vila que não ainda tivesse visitado. Gostava de chamar a atenção para marcos e explicar suas histórias. Naquela manhã, como sempre, estávamos acompanhados de seus seguranças. Geralmente, dois andavam à frente dele e dois atrás. Eu caminhava cerca de três metros ao lado, perto o suficiente para ouvi-lo, se quisesse falar, longe o bastante para que se sentisse sozinho. As caminhadas, para ele, eram um tipo de meditação, e geralmente caminhávamos em silêncio.

Depois de mais de uma hora, chegamos a algumas pequenas *rondavels* ao lado de um morro. *Rondavels* são as cabanas circulares de estuque com teto pontudo de folhagens, nas quais Mandela cresceu e as pessoas da sua área ainda vivem. As paredes são cobertas com esterco de vaca e o chão é de lama seca. Uma mulher com idade aproximada da de Mandela saiu de uma das *rondavels* e ficou nos olhando de maneira cética (muitas vezes as pessoas não o reconheciam e pensavam que ele era um líder local que tinha vindo fazer uma visita). A mulher colocou suas mãos na cintura e então perguntou em xhosa a Mandela se ele, e o resto de nós, tínhamos vindo a pé. Mandela disse que sim. Ela olhou para os pés dele e disse: "Então por que os seus sapatos não estão molhados com o orvalho da manhã?". Mandela olhou para os seus sapatos, que estavam secos, e então soltou uma gargalhada. Isso é o que ele chamava de sabedoria do campo.

Por volta das oito horas, o sol já estava forte e sentia-se calor. Mandela sempre parecia ficar mais forte à medida que caminhávamos. Começava devagar e então seus passos ficavam mais longos e mais firmes. Era o oposto de nós – todos décadas mais jovens. Estávamos caminhando em um longo e preguiçoso círculo e quase quatro horas depois, quando estávamos perto de sua casa, ele apontou para o topo de um morro que se elevava sobre Qunu, a sua vila ancestral, onde vimos as ruínas de uma construção de tijolos brancos.

"Foi a minha primeira escola", ele disse.

Relatou que era uma escola de um cômodo, com pequenas janelas em cada lado e um piso macio de lama. Tinha um teto de zinco que fazia um barulho de *rat-tat-tat* quando chovia. Foi lá que sua primeira professora, a srta. Mdingane, deu-lhe o nome Nelson. Naquele tempo, toda criança na escola recebia um nome inglês.

Ele caminhou até o morro atrás da escola e apontou para uma enorme pedra redonda, com cerca de 22 metros de diâmetro. Eles pegavam uma pedra lisa do tamanho de um pires de chá, sentavam-se nela e escorregavam na enorme pedra. Contou que costumava rasgar os fundos das calças desse modo. "Ganhava uma surra da minha mãe por estragar meu uniforme escolar", ele disse.

Mais de quatro horas depois que começamos a caminhar, nos arrastamos de volta para a casa. Havia meia dúzia de pessoas circulando diante dela; quando entramos na sala, oito ou dez pessoas estavam lá sentadas. Sempre amável anfitrião, Mandela os cumprimentou enquanto fui à sala de leitura preparar nossa sessão. Quando ele entrou, alguns minutos depois, perguntei-lhe quem eram. Respondeu que Miriam, a empregada, disse que tinham aparecido na porta e estavam com fome. Mandela tratou-os como se fossem visitantes ilustres.

Miriam estava preparando nosso café da manhã e Mandela disse: "Vamos começar". Cerca de vinte minutos depois – ainda sem o café da manhã –, um dos seguranças começou a se mover furtivamente perto da porta. "Você quer alguma coisa?", perguntou Mandela. O segurança explicou em xhosa que o time de rúgbi East London estava no jardim da frente. "Ah", disse Mandela. No dia anterior, ele havia prometido a um companheiro que daria um alô ao time de rúgbi East London, que estava visitando a área. "Sim, eu me lembro", disse Mandela, e tirou seu microfone com um gesto de suave irritação.

Uma das coisas que descobri sobre ele foi que, mesmo sendo um defensor da pontualidade, interromperia o que quer que estivesse fazendo para esses encontros ou cumprimentos improvisados. Não acho que gostasse deles, mas julgava que economizaria tempo fazendo as coisas de imediato. Às vezes, como piada, chamava isso de "tempo africano", insinuando que os outros à sua volta não tinham o respeito pela pontualidade que ele tinha.

Do lado de fora, arrastando os pés, estavam cerca de 25 negros troncudos em uniformes de rúgbi em verde e amarelo. Ele começou a cumprimentar-lhes, apertando a mão de cada um e fazendo algumas rápidas perguntas. Aproximadamente dez minutos depois de começar seus cumprimentos, foi chamado de dentro da casa para atender a uma ligação de um de seus auxiliares mais próximos. Atendeu a ligação na cozinha, que era uma bagunça de pratos, potes e panelas ainda não lavados. Enquanto ouvia, ainda como uma estátua, seu rosto se contraiu e mostrou preocupação. Quando está preocupado, seus lábios se voltam para baixo, em um rígido cenho franzido. Finalmente disse "Obrigado" e desligou o telefone.

"Chris Hani foi alvejado e morto", ele falou. Perguntei-lhe por quem. Ele respondeu que não sabia e então, com um olhar gélido, caminhou para fora da cozinha, de volta para a frente da casa, de forma a continuar a cumprimentar o time de rúgbi East London.

O país estava em um terrível momento crítico, e o assassinato de Hani poderia lançá-lo à guerra civil. Os milhões de partidários de Hani poderiam facilmente clamar por vingança e iniciar uma guerra entre negros e brancos. Isso era algo que Mandela queria evitar a todo custo – mas, naquele momento, decidira que o correto era encerrar seu assunto com o time de rúgbi East London.

Vi através da janela Mandela sorrindo, fazendo piada e terminando de cumprimentar o time de rúgbi. Ele não lhes disse nada sobre o que tinha acontecido. Momentos depois, um Mandela de semblante severo retornou à sala de leitura. Ele se sentou e a primeira coisa que disse foi: "Você pode ver se eles estão trazendo o mingau?". Fui à cozinha e, quando nosso café da manhã chegou, comemos em silêncio. Mandela estava imerso em pensamentos.

Quando terminou seu cereal, pediu sua agenda e então fez uma série rápida de telefonemas para seus companheiros mais próximos: arranjando seu retorno imediato a Johannesburgo, pedindo detalhes da investigação policial, sugerindo que ele deveria ir à rede nacional de TV naquela noite para falar sobre o assassinato – tudo em um tom duro mas sereno, com perguntas e respostas curtas e claras. Quando terminou, levantou-se, educadamente se desculpou por ter de terminar nossa sessão e saiu da sala.

Nos dias seguintes ao assassinato houve reportagens e histórias circularam, mesmo dentro da CNA, de que Mandela estava "em pedaços" e "frenético" com a morte de Hani. Na realidade, ele estava gelidamente calmo e analítico, avaliando planos para o futuro imediato e as consequências do assassinato. Nos momentos em que estive com ele durante uma crise, sempre esteve bastante calmo, entrando em um tipo de estado zen que parecia desacelerar os acontecimentos que giravam à sua volta.

Mandela, e não F. W. de Klerk, o presidente, foi à rede nacional de TV naquela noite para falar sobre o assassinato. Foi ele, e não o presidente, quem procurou tratar das esperanças e dos temores da nação, e não apenas dos interesses do seu próprio partido ou dos seus integrantes. De Klerk lançou um *press release*. Horas após o ocorrido, a polícia revelou que o assassino era um imigrante branco polonês e que ele havia sido capturado porque uma mulher bôer tinha memorizado a placa do carro e relatado à polícia. Naquela noite, Mandela exibiu uma expressão sombria quando começou seu discurso:

> Esta noite, estou me dirigindo a cada sul-africano, negro ou branco, do mais profundo do meu ser. Um homem branco, cheio de preconceito e ódio, veio ao nosso país e cometeu um ato tão hediondo que nossa nação inteira agora oscila à beira do desastre. Uma mulher branca, de origem bôer, arriscou sua vida para que pudéssemos conhecer este assassino e fazer justiça. O frio assassinato de Chris Hani chocou todo o país e o mundo. Nosso pesar e raiva estão nos consumindo. O que aconteceu é uma tragédia nacional que tocou milhões de pessoas além da divisão política e de cor.

Terminou desta forma:

> Este é um divisor de águas para todos nós. Nossas decisões e ações irão determinar se usaremos nossa dor, nosso pesar e o ultraje para caminharmos em direção à única solução duradoura para o nosso país – um governo eleito pelo povo, do povo e para o povo.

Ele usou a palavra *disciplina* quatro vezes no seu breve discurso, observando que Hani era um soldado e um homem de "disciplina de ferro", e que os sul-africanos também deviam agir com disciplina para honrar sua memória. *Disciplina* era uma divisa para ele – e, por intermédio da crise Hani, manteve uma rígida disciplina, respeitando o que dissera e pensava. Naquele momento, meses antes da primeira eleição democrática da história sul-africana, ele se tornou o líder ainda não eleito dos sul-africanos brancos e negros.

Como me confidenciaria anos mais tarde, depois de se tornar presidente da África do Sul, aqueles primeiros dias após o assassinato de Hani foram momentos em que uma África do Sul livre e democrática esteve em risco máximo, momentos em que acreditou que a nação que tanto amava estivera o mais próximo de uma guerra racial entre negros contra brancos, em uma escala nunca vista. Sua resposta ponderada para a crise foi em grande parte a razão pela qual a África do Sul não mergulhou em uma guerra civil.

* * *

Às vezes, ser calmo aproxima-se perigosamente de ser sem graça, mas isso não parece incomodar Mandela. Ele sempre preferiu pecar por ser calmo e sem graça do que ser excitante e excitável. Gosta de contar a história da carta que recebeu de uma mulher da Cidade do Cabo, que compareceu à primeira manifestação em frente à prefeitura, após ele ser solto da prisão. A mulher disse que estava feliz por ele ter sido solto e que ela queria que ele tivesse sucesso em unir a África do Sul, mas que seu discurso era "muito entediante". Ele sempre ri muito quando conta essa história. De fato, ele usava um par de óculos desajeitados para ler longos discursos, em um inflexível tom monótono, e ninguém confundiria o Nelson Mandela pós-prisão com um grande orador. Um dia lhe perguntei: "É verdade, as pessoas às vezes criticam seus discursos por serem um pouco sem graça. O que você acha disso?".

"Sabe, tento não ser um agitador de multidões", ele respondeu. "As pessoas querem ver como você lida com as situações. Querem as coisas explicadas clara e racionalmente. Amadureci. Era muito radical quando jovem, brigando com todo mundo, usando linguagem bombástica."

Sim, quando jovem, muitas vezes tentou criar um alvoroço, mas a ideia para ele, agora, é que é melhor ser um pouco sem graça e confiável do que inflamado e obscuro. Suas observações são diretas – ele quer que suas respostas sejam claras, completas e explicativas. Acredita que as pessoas são propensas a tolerar um pouco do sem graça em troca de confiança e substância.

Às vezes, seu estilo deliberado pode até ser uma tática, uma espécie de jiu-jítsu. Ahmed Kathrada certa vez contou-me que na prisão Mandela gostava de jogar damas e que era o campeão da Ilha Robben. Parte da estratégia de Mandela, disse Kathrada, era minar psicologicamente seus adversários por meio do seu estilo de jogo. Ele sempre levava muito tempo entre os movimentos, ponderando sobre as possibilidades. Às vezes, levava um tempo extra se julgasse que isso irritava ou deixava nervoso seu adversário.

Um de seus adversários regulares era um prisioneiro chamado Don Davis, que com frequência desafiava Mandela para jogar. Ele estava determinado a ser o campeão de damas da ilha. Uma vez perguntei a Mandela sobre Davis e ele o descreveu como um "sujeito pitoresco", corajoso por resistir às autoridades. Mas o que o tornou combativo para resistir às autoridades, observou Mandela, não o tornou um mestre em damas.

"Ele não tinha o temperamento de um esportista, e quando se tratava de competições seu temperamento todo mudava", disse-me certa vez Mandela, com um largo sorriso. "Ele era extra-agressivo. Quando eu jogava, sabe, era sempre estável. Isso destruía muitos adversários e ele era o mais vulnerável a essa tática."

Pensamos em temperamento como algo com o qual nascemos. Mas no caso de Mandela foi algo formado. Quando jovem, ele era cabeça quente e facilmente incitável à raiva. O homem que saiu da prisão era o oposto disso – quase impossível exasperá-lo. Ele esperava antes de tomar decisões. Considerava todas as opções. É impossível ter perfeito conhecimento de todas as situações antes de tomar uma decisão, e ficaríamos paralisados se insistíssemos nisso. Mas o exemplo de Mandela mostra o valor de se formar um quadro tão completo quanto possível antes de entrar em ação. A maior parte dos erros que cometeu na vida surgiu por agir muito rápido, em lugar de muito lentamente. "Não se apresse", ele dizia, "pense, analise, então aja".

3

Lidere

NA FRENTE

DURANTE TODA A SUA VIDA, Mandela arriscou-se para liderar. Se fosse um soldado, seria aquele que pularia da trincheira e lideraria o ataque no campo de batalha. Sua concepção é de que líderes devem não apenas liderar, devem ser *vistos* liderando – isso é parte do perfil do trabalho. É quase como se temesse que alguém dissesse ou pensasse que ele não estava disposto a se arriscar. Mesmo nas relações pessoais ele acreditava que se devia comandar. Se há algo que o incomoda, se acha que foi tratado injustamente, deve dizer. Isso também é liderar.

Liderar na frente significava muitas coisas. Às vezes, ele assumia as palavras literalmente, como na primeira vez em que chegou à Ilha Robben: tomou a dianteira do grupo de prisioneiros que entrava na ilha, sob os olhares e o escárnio dos guardas, a fim de mostrar aos outros como reagir. "Desde o início você tem de resistir aos guardas", ele disse aos companheiros, e assumiu o comando nessa questão.

Mas liderar na frente também significava fazer coisas que não necessariamente chamavam a atenção. Significava não aceitar qualquer vantagem especial e realizar as mesmas tarefas que os outros prisioneiros – como limpar os urinóis dos carcereiros ou dos prisioneiros. Não há nada abaixo de um líder. Eddie Daniels relembra que quando chegou pela primeira vez na Ilha Robben, no começo da década de 1960, Mandela atravessou o pátio para se apresentar. Daniels admirava Mandela e disse que somente observá-lo já era inspirador.

"Essa era a beleza de Nelson. Só a maneira como andava. A maneira como se conduzia. Levantava a moral dos outros prisioneiros. Levantava a minha. Só de vê-lo andar com confiança." Simplesmente com o modo como caminhava Mandela estava liderando na frente.

Danny, como todo mundo o chamava, relembra também que certa vez estava doente e não tinha forças para limpar seu urinol. Mandela foi até a sua cela, "abaixou-se, pegou meu pote, e então foi até o banheiro para limpá-lo. Ninguém gosta de limpar a bagunça dos outros. Na manhã seguinte, Nelson apareceu. Ele era o líder da maior organização do presídio. Poderia indicar qualquer um para me ajudar. Ele veio naquela manhã e estava com o seu pote debaixo do braço. Ele disse: 'Como você está, Danny?'. Ele entrou e pegou o meu pote".

Claro, liderar na frente também significava tomar a iniciativa, e durante toda a sua vida, em momentos críticos, Mandela o fez. Liderou a Liga Jovem do CNA, coordenou a Campanha do Desafio, em 1952, comandou a decisão de abraçar a luta armada e desafiou o governo a enforcá-lo no Julgamento de Rivonia, em 1963-64. No julgamento que o enviou para a prisão perpétua, declarou-se inocente – mas acrescentou que era culpado por lutar pelos direitos humanos e pela liberdade, culpado por combater leis injustas, culpado por lutar pelo seu próprio povo oprimido. Admitiu planejar uma sabotagem contra o governo. Ele poderia facilmente não se declarar culpado, mas, para ele, isso não seria liderar. Sabia que se arriscava a receber a pena de morte e não recuou. No seu depoimento final, falou por quatro horas, terminando com estas palavras – as últimas que falaria em público até ser finalmente solto da prisão em 1990:

> Durante a minha vida, dediquei-me a essa luta do povo africano. Lutei contra a dominação branca e lutei contra a dominação negra. Acalentei o ideal de uma sociedade livre e democrática na qual as pessoas vivam juntas em harmonia e com oportunidades iguais. É um ideal para o qual espero viver e realizar. Mas, se for necessário, é um ideal pelo qual estou preparado para morrer.

Houve silêncio na sala do tribunal quando terminou de falar. Ali estava um homem que sabia que aquelas poderiam ser suas últimas palavras.

Mas nada do que Mandela já fez teve os riscos e perigos das conversas secretas que iniciou com o governo branco em 1985, quando ainda estava na prisão. Isso violava todos os princípios do seu movimento e suas próprias afirmações públicas ao longo das décadas. Poderia ter sido tachado de traidor e tornar-se um pária em seu próprio movimento, como poderia também ter levado o país a uma guerra civil total.

* * *

Começou no Presídio Pollsmoor, para onde Mandela foi levado em 1982, depois de dezoito anos na Ilha Robben. Pollsmoor fica no limite de um agradável e ajeitado subúrbio da Cidade do Cabo, abaixo das montanhas Steenberg, que começam ao norte dos muros brancos da prisão. Para chegar à prisão, dirige-se pelas estradas de pista simples da cidade, passando por casas arrumadas com bicicletas nos gramados da frente. Então, no final de uma rua residencial sem nome, vira-se à direita e diante de você está o elaborado portão do Presídio de Segurança Máxima Pollsmoor.

Na medida em que uma prisão pode parecer agradável, Pollsmoor se parece com uma. A longa estradinha, com jardins e canteiros de flores bem cuidados, leva à construção baixa, cinza-clara, de concreto. Em Pollsmoor, Mandela perdeu a beleza natural da Ilha Robben e a chance de ficar ao ar livre sob o sol, mas havia compensações. Sua família podia visitá-lo mais facilmente. A comida era melhor. Estavam finalmente no continente e ele se sentia mais conectado ao mundo. Ele e seus quatro companheiros mais próximos da Ilha – Walter Sisulu, Ahmed Kathrada, Raymond Mhlaba e Andrew Mlangeni – dividiam uma cela bem grande, com o tamanho aproximado de uma quadra de basquete, no terceiro andar. E havia um espaçoso terraço do lado de fora da cela, onde Mandela recebeu permissão para cultivar uma horta.

Em 1985, Mandela já estava preso há 22 anos, e o movimento antiapartheid na África do Sul tinha se tornado mais intenso e estridente. A campanha do CNA para tornar a África do Sul "ingovernável" estava transformando os distritos em zona de guerra. As revoltas diárias eram manchetes nos principais noticiários do mundo todo. O movimento de união e a Frente Democrática Unida, uma organização que agrupava centenas de organizações antiapartheid, estavam pressionando constantemente o governo. E o nome e a imagem de Mandela tinha se tornado o símbolo do movimento mundial antiapartheid.

Nesse mesmo ano Mandela recebeu o diagnóstico de aumento do volume da próstata e seus médicos recomendaram uma cirurgia. Sob segurança máxima, ele foi levado ao Hospital Volks, na Cidade do Cabo, para o procedimento. Quando estava na Ilha Robben, Mandela detestou as poucas ocasiões em que precisou ir ao continente. Não era tratado de forma diferente de qualquer outro prisioneiro negro. Uma vez me contou que foi mantido no porão de um barco usado por sul-africanos brancos para ir à ilha e que os passageiros cuspiram nele, lá de cima. Apesar de todos os insultos na Ilha Robben, eles não se comparavam às humilhações que suportou fora dela.

Mas dessa vez foi diferente. Seu valor tinha mudado. Ficou em uma ala separada no hospital, em um quarto ensolarado e decorado com flores. Todas as enfermeiras o tratavam com um respeito silencioso. A operação foi um sucesso e ele permaneceu vários dias se recuperando antes de ser levado de volta a Pollsmoor. Na saída do hospital, o oficial comandante da prisão o apanhou em um sedã. Isso foi extremamente extraordinário. No passado, fora transportado por carcereiros comuns em uma van. Na volta, o oficial lhe contou que ele não retornaria para a companhia dos seus companheiros, mas que seria levado a outra cela. Mandela perguntou-lhe o motivo disso, e o oficial somente deu de ombros e disse: "Instruções de Pretória".

A nova cela era no andar térreo da prisão e consistia de três aposentos escuros e úmidos. Era suntuoso para os padrões da Ilha Robben, mas ele estava perturbado com a mudança. Considerou sua nova situação de todos os ângulos. Por que havia sido separado de seus companheiros? Por que o oficial comandante o apanhou no hospital? Qual era a estratégia do governo? Normalmente, poderia ter feito um protesto ou um pedido oficial de informações, mas algo lhe disse que precisava pensar mais sobre aquilo.

Quando começou a considerar a sua situação, não pensou sobre as privações do novo local, mas sobre as oportunidades. Concluiu que sua solidão lhe daria chance de fazer algo em que estava pensando havia anos, algo que examinara com cuidado, algo que era uma heresia do ponto de vista do CNA. Ele poderia iniciar uma conversa com o governo. Durante décadas, o CNA se recusou a negociar com o governo, até que ele concordasse em revogar as leis do apartheid e libertasse prisioneiros políticos. Mas agora ele sabia que o mundo mudara e que precisava mudar com ele. Havia muito tinha concluído que o CNA não iria derrubar o governo por meio da luta armada. Somente negociações poderiam funcionar. Agora poderia agir com essa crença.

Em uma cela com seus companheiros, nada do que fizesse seria privado, teria de discutir com eles sobre uma ausência ou uma conversa com as autoridades. Mas agora estava só. Estava claro para ele que o governo via essa nova circunstância também como uma oportunidade.

Sua decisão foi significativa. Durante toda a sua vida lutou contra o domínio da minoria branca. O CNA estava lutando havia 73 anos e estava na luta armada fazia duas décadas. A política, para todos, naquele tempo, era não negociar – as negociações só poderiam acontecer com base na igualdade. Mandela, sem consultar ninguém, mudaria o curso de toda essa história. Ele deixaria a estratégia reconhecida do CNA, a organização que ele amava, que o havia forjado e pela qual sentia a maior de todas as possíveis lealdades.

Todavia, estava cauteloso e tinha boas razões para isso. Essa não era a primeira vez que a ideia de um diálogo havia surgido. No início daquele ano, em janeiro, o presidente sul-africano, P. W. Botha, propusera publicamente soltar Mandela se ele, incondicionalmente, renunciasse à violência como um instrumento político. Mandela rejeitou a oferta de imediato, divulgando uma nota que dizia: "Somente homens livres podem negociar. Prisioneiros não podem apresentar contratos. Não posso e não vou dar nenhuma garantia, em uma época na qual eu e você, o povo, não somos livres. A sua liberdade e a minha não podem ser separadas". A resposta abrupta e agressiva de Mandela constrangeu o governo e o presidente Botha.

Mas dessa vez era diferente. Iniciaria as conversas confidencialmente, por iniciativa própria. O movimento antiapartheid estava crescendo em poder. O governo estava começando a ver o que ocorria. Botha disse aos seus compatriotas que eles tinham de "adaptar-se ou morrer". Ao mesmo tempo, Mandela sabia que o *status quo* poderia continuar por décadas, e ele não estava ficando mais novo. Sabia também que não poderia ser visto por seus companheiros, pelo seu partido ou pelo mundo iniciando negociações. O que fez foi escrever uma carta confidencial a Kobie Coetsee, ministro da Justiça, dizendo que gostaria de iniciar um diálogo com o governo.

O progresso foi glacial. Do momento em que escreveu sua primeira carta até o dia do primeiro encontro passaram-se quase dois anos. Ele não sabia se o governo estava considerando sua oferta ou não e continuou a enviar correspondências. Em julho de 1986 as coisas subitamente começaram a acontecer.

"Ainda me lembro muito bem", ele contou. "Era uma quarta-feira quando lhes dei a carta, dizendo simplesmente ao diretor: 'Quero vê-lo a respeito de um assunto de grande importância nacional'." No domingo seguinte foi chamado à casa do diretor, que era no terreno da prisão. Quando Mandela estava frente a frente com o diretor, disse que, na verdade, queria ver o ministro da Justiça. O diretor perguntou-lhe por quê.

"Quero levantar a questão do diálogo entre o CNA e o governo", disse Mandela. O diretor imediatamente ligou para Coetsee, que estava na Cidade do Cabo. Coetsee, de acordo com Mandela, disse: "Traga-o agora para a minha casa". Mandela não retornou à sua cela e foi levado para a residência oficial de Coetsee, onde passou as três horas seguintes vestindo seu uniforme empoeirado da prisão.

Mandela jamais gostou de se encontrar com as pessoas sem que estivesse em igualdade de condições. Não gostou do fato de ainda estar com seu uniforme de detento, mas deixou passar.

"Agora", disse-lhe, "quero ver P. W. Botha, o presidente", ele relembrou. Mandela tinha exigido um encontro com o ministro da Justiça somente para lhe dizer que o que realmente queria era um encontro com o presidente. Ele estava usando cada um dos homens para levar a questão ao próximo nível. O pedido de Mandela a Coetsee levou aquelas negociações ao mais alto nível – um encontro secreto entre o prisioneiro político mais famoso do mundo e o homem que, em última análise, o mantinha atrás das grades. Coetsee compreendeu imediatamente o quão histórico era esse passo. Aquele dia iniciou uma cadeia de acontecimentos que culminou não somente com a libertação de Mandela, mas também com as negociações que levaram à primeira eleição livre e democrática na história da África do Sul.

* * *

Quando você lidera na frente, não pode deixar seus companheiros muito atrás. Então, depois que essas conversas privadas começaram, Mandela pediu para vê-los. Queria lhes dizer o que tinha feito e ter certeza de que eles estavam com ele. Mesmo separados por apenas três andares, o pedido para vê-los tinha de chegar até as autoridades da prisão, seguir até a burocracia na Cidade do Cabo e finalmente até a sede do governo em Pretória. Dessa vez, as autoridades apenas permitiram que ele visse seus companheiros individualmente. Em lugar de resistir, Mandela concordou. Seu primeiro encontro foi com Walter, seu mais antigo companheiro e amigo, seu mentor, o primeiro homem a ver um líder de massa naquele jovem rústico e desajeitado de Transkei. Ele contou a Walter a respeito das negociações secretas.

Mandela relembrou para mim a reação de Walter, que não foi positiva. "Ele disse: 'Bem, não sou, em princípio, contra negociações, mas teria preferido que eles a tivessem começado, não nós'. Eu lhe disse: 'Se você não é contra negociações, em princípio, então não importa quem as comece. *Eu comecei*'."

Mandela se encontrou com Mhlaba, Kathrada e Mlangeni, sucessivamente. Kathrada concordou com Walter e era contra as negociações. Mhlaba e Mlangeni reagiram da mesma maneira: o que ele esteve esperando?

Mas essa não foi a reação da liderança do CNA, sediada em Lusaka, Zâmbia. De fato, quando seu amigo íntimo, Oliver Tambo, o chefe do CNA, ouviu boatos de que Mandela estava conversando com o governo, ficou profundamente preocupado. Houve aqueles que julgaram que Mandela tinha sucumbido ou se vendido. Tambo enviou-lhe uma carta pedindo explicações.

"Então eu disse a ele", Mandela relembrou: "Camarada O. R. – era como costumava chamá-lo –, estou conversando com o governo um assunto, um único assunto, um encontro entre o CNA e o governo. Isso é tudo. Ponto final".

Ao decidir iniciar as negociações, ele bem sabia que era um risco à sua própria liderança. Além de Tambo, havia aqueles dentro do CNA – alguns nos altos escalões – que julgavam que ele tinha traído o movimento. Alguns até mesmo o chamaram de traidor. Não há dúvida de que isso comprometeu seu papel sagrado como líder máximo do CNA e do movimento antiapartheid. Já havia aqueles dentro do CNA que estavam tramando contra ele e isso lhes deu munição.

Mandela disse-me várias vezes que o CNA era um coletivo no qual nenhuma pessoa decidia sozinha. Então lhe perguntei sobre essa decisão transformadora que efetivamente tomou sozinho.

Mandela foi bem direto. "É absolutamente necessário, às vezes, o líder agir independentemente, sem consultar ninguém, e apresentar o que fez à organização. Há casos dessa natureza, em que vou tomar uma decisão e confrontá-la com você, e a única questão que você tem de considerar é se o que fiz está no interesse do movimento. Quero dizer, se tivesse discutido a questão [das negociações] com meus companheiros antes de ter me reunido com o governo, eles teriam recusado. Não estaríamos tendo negociações hoje."

Para Mandela, liderar na frente também significa ser responsável. Ele abraça a ideia de que, se toma uma decisão sozinho, irá sofrer as consequências por isso. "Se estiver errado", afirma, "você sabe quem culpar". Até hoje ele vê a decisão de negociar com Botha como talvez a mais revolucionária que já tomou. Uma vez que decidiu que não poderia haver vitória militar, mas somente um acordo negociado, não hesitou para mudar o curso dos acontecimentos.

* * *

Durante sua vida, Mandela com frequência mudou de ideia quando as circunstâncias mudaram. Para ele, isso é simplesmente bom-senso. Quando vê o que julga como inevitável, muda seu ponto de vista. Mas não muda de direção rapidamente. Ele gosta de examinar todas as consequências de se virar do avesso. Somente então irá agir. Por fora, suas ações podem, às vezes, parecer precipitadas, mas, por dentro, já as analisou por completo. Ele dizia para não se adiar o inevitável, mesmo que possa não ser a solução que originalmente se queira.

Durante a época em que estávamos trabalhando juntos, fiz uma viagem com ele para Washington. Em uma coletiva de imprensa, disse que era hora de a América e o mundo levantarem as sanções contra a África do Sul. Essa mudança de política surgiu como uma surpresa para muitos dos companheiros de Mandela dentro e fora do CNA. Era algo que discutiam fazia meses, mas havia um impasse. Às vezes, ele dizia, você simplesmente tem de destruir o que obstrui. Buscara o consenso, mas não conseguiu alcançá-lo. Preferia o consenso, mas se isso era impossível, tomaria a iniciativa ele mesmo. No caso das sanções, conversou comigo sobre a ideia e disse que estava pensando a esse respeito – o que geralmente significava que já tinha decidido e estava testando o terreno.

Quando deixou a presidência em 1999, prometeu que iria para uma calma aposentadoria. Mas não foi. Não conseguiu permanecer em silêncio diante do que o HIV estava fazendo com a África do Sul. Sabia pouco sobre a doença quando saiu da prisão. De fato, ele ainda tinha visões retrógradas sobre AIDS e homossexualidade, consistentes com um homem da sua geração. Mas depois que deixou a presidência e viu seu sucessor, Thabo Mbeki, lidar mal com a crise da AIDS na África do Sul, ele falou. Mbeki havia muito rejeitava a conexão entre o vírus HIV e a AIDS e se recusava a permitir a distribuição universal de drogas antirretrovirais aos pacientes sul-africanos aidéticos.

Finalmente, em 2002, Mandela declarou ao *Sunday Times* de Johannesburgo: "Isso é uma guerra. Ela matou mais pessoas que todas as guerras anteriores e todos os desastres naturais. Não devemos continuar debatendo, discutindo, enquanto as pessoas estão morrendo". Mbeki não ficou feliz com o que Mandela disse, mas era a coisa certa a fazer. Às vezes, liderar na frente é admitir que se está errado – mesmo quando ninguém o está acusando de estar errado. Mandela compreendeu que fora lento para ver a luz e não podia se abster mais; precisava tentar corrigir a história.

Mesmo da lateral do campo, Mandela estava liderando na frente.

4

Lidere

DA RETAGUARDA

TANTO QUANTO GOSTAVA DA NOTORIEDADE, Mandela sempre soube que tinha de compartilhá-la. Sabia que uma parte – uma grande parte – da liderança é simbólica e que ele era um símbolo esplêndido. Mas sabia que não podia estar sempre na frente e que seu grande objetivo poderia morrer, a menos que permitisse que outros liderassem. Na linguagem do basquete, ele queria a bola, mas sabia que tinha de passá-la aos outros e deixá-los arremessar. Acreditava genuinamente nas virtudes do time e sabia que, para conseguir o melhor de seu povo, teria de assegurar que partilhassem da glória e, ainda mais importante, que sentissem que estavam influenciando as decisões dele.

Certa manhã, estávamos caminhando havia aproximadamente uma hora e meia nos morros atrás da sua casa em Transkei e a névoa da manhã tinha se dissipado. Era uma área salpicada de rochas e penedos, com gramíneas curtas e secas e poucas árvores. Mandela parou, levantou a cabeça e olhou à sua volta. Disse que aquela área costumava ser um campo de *millie* – era o termo africano para milho.

"Era magnífico. Devíamos cuidar do rebanho, mas às vezes roubávamos algumas espigas de milho e as assávamos. Procurávamos grandes cupinzeiros que tivessem sido abandonados. Tudo que havia dentro deles eram algumas gramíneas e alguns cupins. Pegávamos as espigas e as colocávamos no buraco e acendíamos o fogo com grama seca no fundo. Colocávamos o sabugo no buraco e o milho assava, enquanto os cupins forneciam um tipo de óleo que deixava o milho muito saboroso." Era como se ele fosse transportado de volta à sua infância e estivesse sentindo o gosto do milho queimado enquanto falava.

Virou-se para mim e disse: "Você nunca cuidou de um rebanho, não é, Richard?". Respondi que não. Ele balançou a cabeça. Quando garoto – oito ou nove anos –, Mandela passou longas tardes cuidando do rebanho. Sua mãe possuía o seu próprio, mas havia um rebanho coletivo que pertencia à vila, do qual ele e outros garotos cuidavam. Ele então me explicou os rudimentos do manejo de um rebanho.

"Sabe, quando você quer que o rebanho se mova para determinada direção, fica atrás com uma vara e deixa alguns dos animais mais inteligentes irem na frente, movendo-se na direção que você quer que eles se movam. O resto do rebanho segue os mais energéticos que estão na frente, mas é você que está realmente guiando lá de trás." Fez uma pausa. "É assim que um líder deve fazer o seu trabalho."

A história é uma parábola, mas a ideia é que liderança, em seu âmago, significa mover as pessoas em certa direção – geralmente por meio da mudança de direção do seu pensamento e de suas ações. E a maneira de fazer isso não é necessariamente se lançar à frente e dizer "sigam-me", mas possibilitando ou empurrando os outros para que se movam para a frente, à sua frente. É por intermédio da capacitação dos outros que partilhamos nossa própria liderança e nossas ideias. Isso é valioso em toda a arena da vida. Vemos isso no local de trabalho, quando um gerente encoraja seus funcionários a formular novas estratégias. Vemos isso em casa, quando os pais têm uma reunião de família para guiar seus filhos por meio de hábitos e comportamento conscientes, em lugar de simplesmente ditarem as regras.

Um dos antigos companheiros dele disse-me certa vez que por Mandela ser tão forte e carismático nunca recebia crédito simplesmente por ser tão inteligente. As pessoas com frequência comentavam sua presença, não sua inteligência. Mandela não subestimava seus próprios recursos e sabia que não aprendia rapidamente. Tinha de trabalhar isso.

Ele sempre despendia tempo para isso, porque queria realmente entender e examinar as questões sob todos os ângulos. Nunca foi superficial o suficiente para que pudesse fingir um conhecimento que não possuía. Como resultado, muitas vezes se alinhava com aqueles que julgava ser mais brilhantes e mais rápidos que ele. Queria aprender com os que julgava ter verdadeira competência e nunca se sentiu constrangido ao pedir que lhe explicassem as coisas. E, ao lhes pedir ajuda ou conselho, não apenas aprendia com eles, mas também lhes dava poder e os tornava seus aliados. Mandela sabia que não há nada que faça outra pessoa gostar mais de você do que lhe pedir sua ajuda – quando você reconhece a opinião dos outros, aumenta a lealdade deles a você.

* * *

O modelo de Mandela para liderar a partir da retaguarda não foi seu pai, mas Jongintaba, o rei que o criou no Grande Lugar. Depois que o pai de Mandela morreu, sua mãe arrumou uma pequena mochila com os pertences de Nelson e eles caminharam pelos morros de Transkei até Mqhekezweni, a capital do território Thembu, conhecida como o Grande Lugar. O pai de Mandela tinha sido conselheiro do rei, e este queria treinar Mandela para ser posteriormente conselheiro de seu próprio filho, Justice, que tinha a idade de Mandela. Mandela se lembra da longa e silenciosa jornada desde Qunu, sua vila natal, caminhando com sua mãe. Estava triste em deixar o único mundo que conhecia, mas, quando chegou ao Grande Lugar, ficou fascinado com sua grandiosidade. Como escreveu em seu diário da prisão: "Mal podia imaginar algo na terra que pudesse exceder aquilo". Na realidade, o Grande Lugar não era muito mais que aproximadamente uma dúzia de *rondavels*[1] e uma grande horta. Era um tanto modesto até para os padrões de uma corte real africana. Mas ele achou que tinha alcançado o centro do mundo.

Na tarde em que chegou, ele se lembra de um longo automóvel deslizando pelo portão ocidental da vila e de todos os homens que estavam sentados à sombra levantarem-se e gritarem *Bayethe a-a-a Jongintaba* (Viva Jongintaba!), a tradicional saudação xhosa ao chefe. Como Mandela relembra em seu diário: "Um homem baixo e gordo, de tez escura, vestindo um terno elegante, apareceu e se juntou aos que estavam sob as árvores. Tinha um porte firme e um rosto inteligente. Sua confiança e os modos casuais marcavam-no como alguém acostumado com o elogio e o exercício da autoridade". Era o rei Jongintaba.

Aquele dia ficou impresso em sua memória pelo resto da vida. Como ele diz em seu diário, até chegar a Mqhekezweni, sua única ambição era ser um excelente guerreiro de lança ou um grande caçador. "Mas mesmo naquele primeiro dia", ele escreve, "senti-me como uma árvore que fora arrancada com a raiz da terra e lançada no meio da correnteza de um rio." Aquela correnteza era o caminho da liderança – mas como isso iria guiá-lo a um mundo maior era algo que não podia então imaginar.

1. Tradicionais habitações africanas. [N.E.]

Mandela observou de perto o estilo e o comportamento do rei. O poder era o eixo em torno do qual a vida da comunidade girava – assim como sua vida. O rei não era um homem instruído (não sabia ler nem escrever), mas era o guardião da história e das tradições thembu. O rei podia ter nascido para liderar, mas também era visto como servo do povo. O poder era tratado como um privilégio, não apenas um direito. O principal estilo de liderança não era se lançar à frente, mas ouvir e conseguir o consenso.

As reuniões da corte real, que eram como democráticas reuniões em prefeituras, eram o encontro da liderança. Todos os homens da vila participavam e qualquer um que quisesse falar podia fazê-lo. Era costume o chefe ouvir as opiniões dos seus conselheiros e da comunidade antes de pronunciar a sua própria. O rei sempre permanecia ereto e altivo e, quando falava ao final da reunião, resumia as opiniões que todos tinham ouvido. O rei era determinado, mas não deixava que sua vontade suplantasse a da comunidade.

Isso é o que Mandela quer dizer com liderar da retaguarda. Um bom chefe não declara grandiosamente sua opinião e ordena que os outros o sigam. Ele ouve, resume e então procura moldar a opinião e guiar o povo rumo à ação – de nenhum modo diferente do jovem garoto guiando o rebanho a partir da retaguarda. Mandela considera isso o melhor da tradição africana de liderança. Ele vê o Ocidente como o bastião da ambição pessoal, onde as pessoas lutam para seguir à frente e deixar as demais para trás.

A ideia renascentista do individualismo nunca penetrou na África, como o fez na Europa e na América. O modelo africano de liderança é mais bem expresso como *ubuntu*, a ideia de que as pessoas recebem o poder de outras pessoas, que nós nos tornamos melhores por meio da interação altruísta com os outros.

Lembro-me de chegar em uma manhã de um fim de semana na casa de Mandela em Houghton. No caminho, depois dos portões de entrada, Mandela e um grupo de conselheiros estavam sentados na sombra, em um pequeno círculo de cadeiras dobráveis, absorvidos em uma conversa. Aproximei uma cadeira da beira do círculo. O que me impressionou mais vigorosamente foi que esses homens estavam conversando animadamente, alguns deles criticando Mandela e dizendo-lhe, bem diretamente, que ele estava errado em relação a certas posições. Todos eram homens respeitosos (uns só o suficiente) e alguns estavam exaltados e sem papas na língua. Mandela estava sentado ereto, quase sem se mexer, ouvindo atentamente com uma expressão neutra. Ele daria um bom jogador de pôquer. Somente no final do encontro, quando os homens estavam se preparando para ir embora, Mandela falou e resumiu as opiniões deles sem dizer exatamente em que ponto ele se situava. Percebi que os homens pareciam mais joviais depois de emitir suas opiniões, independentemente de ter ou não persuadido Mandela. Mandela sabia que o modo mais certeiro de neutralizar uma discussão era ouvir pacientemente o ponto de vista oposto.

Depois lhe perguntei sobre essa conversa e seu estilo de liderança. "Somos uma organização democrática", ele me disse. "Às vezes, vou até o CEN [Conselho Executivo Nacional] com uma ideia e eles discordam de mim e a rejeitam. E eu obedeço, mesmo quando estão errados! Isso é democracia!" Deu uma enorme gargalhada. Mas ele sabia que em muitas ocasiões sua visão sobre questões individuais importava menos que o processo democrático – era melhor perder em relação a uma questão individual e deixar a democracia vencer.

Quando Mandela se tornou presidente, liderou reuniões de gabinete do mesmo modo. Fazia o máximo para que visões opostas fossem manifestadas, quando não apoiadas. Ele quase sempre falava no fim e mais brevemente que os outros.

Às vezes, mencionava Abraham Lincoln a mim como um modelo de liderança. Havia aprendido sobre ele quando era estudante. De fato, quando jovem, Mandela tinha desejado o papel de Lincoln em uma peça da escola, mas havia um estudante ainda mais alto que ele que conseguiu o papel (Mandela pesarosamente contou que acabou fazendo o papel de John Wilkes Booth). Mandela estava ciente de que Lincoln havia colocado alguns de seus rivais mais ferozes em seu gabinete – e ele da mesma forma escolheu membros da oposição para seu próprio gabinete. Ficara impressionado com o modo pelo qual Lincoln usou da persuasão em lugar da força para administrar seu gabinete. Certa vez, ele me contou uma anedota que havia recordado sobre Lincoln dissuadir alguém de participar do seu gabinete e terminou dizendo: "É sábio persuadir as pessoas a fazerem as coisas e deixá-las pensar que foi ideia delas mesmas".

Para Mandela, liderar da retaguarda pode, de alguma forma, parecer uma camuflagem para liderar na frente. Mas ele também conhece os limites da liderança, mesmo os seus. Quando saiu da prisão, era um tipo de Rip Van Winkle africano. Amigos e companheiros o informaram a respeito de vários assuntos: direitos das mulheres, a mídia moderna, AIDS e HIV, além de dezenas de outros assuntos. Essa foi uma educação reparadora necessária e uma expressão da ideia africana da liderança coletiva. Desde a infância, ele sabia que a liderança coletiva se baseava em dois pontos: a maior sabedoria do grupo comparada à individual e o maior investimento do grupo em qualquer resultado atingido por meio do consenso. Era uma vitória dupla.

Liderar da retaguarda funciona da mesma maneira: você alcança o resultado que deseja de forma harmoniosa. É bom para os outros e bom para você.

5

Represente

O PAPEL

ESFORÇAMO-NOS PARA JULGAR as pessoas pela essência de seu caráter, mas Nelson Mandela sabia que, às vezes, a melhor forma de ajudar os outros a ver seu caráter é por meio da maneira como você se apresenta. Toda a sua vida Mandela se preocupou com a aparência das coisas – da cor da sua camisa à forma como uma política era apresentada a seus partidários e ao quão ereto ele conseguia permanecer. Ele nunca diria a alguém para não julgar um livro pela capa porque ele sabe que todos fazemos isso. Embora seja um homem de substância, diz que não faz sentido *não* julgar pela aparência. As aparências importam e temos somente uma chance de causar a primeira impressão.

Mandela adora roupas. Sempre adorou. Ele não diria que as roupas fazem um homem, mas que provocam uma impressão imediata. Sua ideia é a de que se você quer representar o papel, tem de usar a roupa certa. Começou a aprender isso quando era menino – seu pai cortou a própria calça de montaria para fazer-lhe uma calça para o seu primeiro dia na escola. Seu pai estava determinado que seu filho não parecesse um "nativo" incivilizado, vestido com uma manta. Mais tarde, quando já adolescente e pupilo do rei Thembu, uma de suas tarefas era passar a ferro os ternos do soberano. Um rei tinha de se apresentar em perfeita ordem, e foi uma tarefa que Mandela realizou com grande meticulosidade. Lembro-me dele, certa vez, perguntando-me se eu poderia ajudá-lo a encontrar um ferro em seu quarto de hotel, porque seu paletó estava amarrotado. Reparava na qualidade do tecido dos seus ternos e nos dos outros homens. Relembra, com detalhes, do elegante terno transpassado que o rei mandou fazer para ele antes que fosse para a Universidade de Fort Hare.

Mas nem sempre teve condições de se vestir como queria. No começo da sua vida em Johannesburgo, e ao longo de cinco anos, teve apenas um terno – que, ao final desse período, tinha mais remendos que tecido original. Ainda se recorda do quanto ficava constrangido ao vesti-lo. Poucos anos depois, quando tinha atingido algum sucesso como jovem advogado, uma das primeiras coisas que fez foi ter seu próprio alfaiate. Seu futuro advogado, Georges Bizos, lembra-se de encontrar Mandela no ateliê do seu alfaiate e perceber que era a primeira vez que via um negro tirando as medidas para um terno. Mandela tinha um senso natural de estilo e era então considerado uma espécie de dândi. Vestia-se daquele modo não apenas porque lhe dava prazer, mas porque, naqueles dias, os brancos também julgavam os negros pelo que vestiam, e ele não queria parecer um trabalhador comum, mas um profissional.

Atores sabem que ir a um teste vestidos como o personagem que desejam pode fazer diferença para conseguir o papel. Assim como fingir que se é corajoso pode se tornar coragem real, podemos sentir que nos vestirmos como a pessoa que queremos ser nos deixa mais próximos de nos tornarmos aquela pessoa. Durante toda a sua vida Mandela sempre se pareceu com – e representou – o papel. Quando era estudante, queria parecer preciso e organizado. Quando era um jovem advogado, usava ternos sob medida para impressionar os juízes e seus clientes. Quando estava na clandestinidade, usava uniforme militar e deixou a barba crescer. Quando se tornou presidente, no início vestia ternos escuros conservadores. Mais tarde, quando a África do Sul se acalmou, abandonou os ternos em estilo europeu e passou a usar camisas de seda sob medida, com gloriosos padrões africanos. Elas se tornaram sua assinatura – as pessoas as chamavam de "camisas Mandela". Ele adora essas camisas e tem um *closet* repleto delas. Além do seu apreço pelas cores vívidas, essas camisas simbolizam o novo tipo de poder – africano, nativo, confiante. As camisas são uma afirmação: um líder africano não precisa mais se vestir de maneira ocidental para parecer importante.

* * *

Dada a sua crença na importância simbólica da aparência, não é surpresa que uma das primeiras batalhas que Mandela teve na Ilha Robben foi em relação às roupas. As regras diziam que prisioneiros negros tinham de usar shorts, enquanto os designados como indianos ou de cor (raça mista) poderiam usar calças longas. Ele considerou um insulto que tivesse de usar shorts como um "moleque jardineiro", e combateu isso tão furiosamente quanto qualquer batalha que travou nessa prisão. Anos depois, quando estava se preparando para se reunir com P. W. Botha pela primeira vez, Mandela julgou que não deveria usar um uniforme de presidiário para se encontrar com o presidente da África do Sul – achou que isso o colocaria em desvantagem. Assim, as autoridades da prisão providenciaram que fosse feito um terno para ele, a respeito do qual foi muito específico. Ele considerava isso um aspecto essencial para se colocar em pé de igualdade com Botha.

Quando viajávamos juntos, eu sempre queria saber o que ele estava planejando vestir no dia seguinte para que eu pudesse me vestir adequadamente. Eu sabia que isso era importante para ele. Às vezes eu aparecia em seu quarto para descobrir o traje e ele em geral dizia: "Ah, Richard, eu quero saber o que *você* vai vestir". E ele não estava brincando. Frequentemente comentava sobre um terno que eu usava ou uma gravata minha, e em algumas oportunidades expressava descontentamento se julgasse que eu estava malvestido (ou exageradamente vestido) para alguma ocasião em particular.

Ajuda, claro, que Mandela seja alto, magro e esteja em forma. Ele tem uma bela postura. Você nunca irá vê-lo com os ombros caídos ou com a cabeça sem estar erguida e olhando para a frente. Na Ilha Robben, sempre esteve ciente da maneira como caminhava e se movia. Sabia que precisava ser visto ereto diante das autoridades, literal e figurativamente – mesmo quando estava negociando secretamente com elas. Sabia que as pessoas seguiam seu exemplo e, se ele fosse confiante e firme, elas o seriam também.

Muito antes de a corrida se tornar moda, ele era um defensor dos exercícios. Já na década de 1950, costumava correr pelas manhãs, em Johannesburgo. Um pouco disso é vaidade: ele é muito orgulhoso de sua magreza. É cuidadoso com o que come e costumava desaprovar levemente os homens da sua geração que tinham barriga. Quando estávamos juntos, ele com frequência notava quem tinha envelhecido bem e quem não. Certa vez, estávamos andando em Transkei e ele encontrou duas mulheres, com aproximadamente a sua idade, de uma vila próxima. Elas comentaram como ele parecia jovem e ele ficou radiante. Elas não tinham envelhecido tão bem.

"É muito dura a vida no campo, e a pobreza envelhece uma pessoa", ele disse. "É irônico que o programa na prisão, com sua dieta e atividades físicas mínimas, promova vida longa e juventude." Realmente, seu regime na prisão, com trabalho físico diário, uma dieta espartana de grãos e vegetais, esquema dormir-cedo-acordar-cedo, parece o de um *spa* organizado por um gerontologista tentando reverter o processo de envelhecimento. Walter Sisulu costumava fazer piada dizendo que era mais estressante fora da prisão do que dentro dela e que não tivera uma boa noite de sono desde que deixara o presídio. Mandela muitas vezes contou-me sobre a rotina dos seus exercícios matinais, que incluíam corrida no lugar por 45 minutos, seguida de duzentas abdominais e cem flexões na ponta dos dedos. Um dia, ele se abaixou no chão e fez duas rápidas flexões na ponta dos dedos para mim, e então tirou a poeira das mãos com um sorriso satisfeito.

Mandela estava preocupado com as aparências em uma escala bem maior do que somente que tipo de terno estava vestindo. Ele conhecia o poder da imagem. Muito antes da internet e das notícias 24 horas na TV a cabo, Mandela refletiu profundamente sobre como suas ações seriam interpretadas pelos eleitores ou pela mídia, e como as políticas do seu partido se apresentariam no palco mundial. "As aparências constituem a realidade", me disse certa vez. Ele conhecia o poder dos símbolos e que eles muitas vezes importavam mais que a essência. Afinal, ele se tornou o líder da sua nação porque uniu símbolo e essência. Era o revolucionário aristocrático, o prisioneiro sem rancor. Desde o início, era a bela e carismática figura de proa que também conhecia política e governo. Como Walter Sisulu me disse, sobre a primeira vez que se encontrou com Mandela em 1941: "Queríamos ser um movimento de massa, e então um dia um líder de massas entrou no meu escritório".

Mandela era um gênio no que os sociólogos chamam de "administração da impressão". Sim, ele acreditava que o Congresso Nacional africano precisava abraçar a luta armada para atingir seus objetivos, mas também acreditava que algumas explosões simbólicas uniriam o movimento antiapartheid. Sim, ele pleiteou sua inocência durante o Julgamento de Rivonia, mas ele testemunhou para a corte e o mundo que ele era culpado de tentar derrubar o imoral governo branco. Não, ele não achava realmente que os carcereiros brancos tinham sido gentis com ele, mas queria mostrar ao público branco que não estava com raiva ou rancor.

Mandela sempre planejou muito sobre como deveria se apresentar uma política ou uma ação. Nenhum detalhe era muito superficial para não merecer a sua atenção. Analisava pôsteres de campanha e avaliava com quem deveria trocar cumprimentos. Muitas vezes, fiquei sentado ao seu lado no banco de trás do carro enquanto ele esperava o momento preciso para aparecer em um evento. Quando estava deixando um avião ou entrando em uma sala, estava ciente da figura que tinha construído e do momento exato que lhe daria o máximo de atenção.

Também compreendia que ser visto tomando a iniciativa muitas vezes lhe conferia autoridade. Em qualquer evento político ou social, era sempre o primeiro a se levantar e a bater palmas, sempre o primeiro a cumprimentar quem se apresentava, sempre o primeiro a parabenizar o vencedor. Ele cumprimenta as pessoas, não é cumprimentado por elas. Não há evento no qual não fale, não importa que seja pequeno ou informal. Você não pode impedi-lo de ficar em pé e de fazer observações. Ele é sempre o anfitrião, nunca o convidado. Quando apareceu pela primeira vez com a rainha da Inglaterra, em Londres, foi como se estivesse estendendo sua hospitalidade real a uma reservada matrona do interior.

Uma das impressões que ele sempre procurava transmitir era a de que não tinha favoritos, que estava acima de qualquer tipo de preconceito. Nos fins de semana, as autoridades permitiam que os prisioneiros políticos caminhassem até o campo de futebol para ver os outros prisioneiros jogarem. Quando ele estava andando para o campo, sempre escolhia um prisioneiro indiano ou *de cor* para acompanhar, a fim de mostrar que não acreditava em agrupar os indivíduos pela raça. Mesmo naqueles dias, muito antes de se tornar presidente, quando as pessoas perguntavam qual era o seu time favorito, ele fazia objeções.

"Nunca escolhi entre estrelas ou times", ele disse. "É indelicado para um líder. Evito colocar qualquer estrela acima dos outros, porque você imediatamente perde o apoio dos demais. Na prisão, eu dizia que apoiava todos eles, que apoiava o melhor deles."

Da mesma forma, gostava de se apresentar como homem do povo. Em eventos ou jantares, sempre ia até a cozinha para trocar cumprimentos com a equipe. Em um aeroporto, procurava os funcionários de terra para cumprimentá-los. Assim como gostava da companhia das celebridades e dos famosos – e gostava mesmo –, nunca queria dar a impressão de ser elitista. Sempre quis que as pessoas soubessem que aceitava o fardo da liderança, assim como os prazeres, e que era acessível a todos.

Mandela é um homem de incrível disciplina, mas também quer cultivar a *ideia* de que é um homem de disciplina. Quando começamos a trabalhar juntos, tive um encontro com ele em seu escritório, em um sábado de manhã. Quando cheguei, antes das sete, ele estava sentado à sua mesa, de terno, falando ao telefone. Era evidente que tinha acordado a pessoa do outro lado da linha, que tinha dito algo como "Você nunca dorme?". E ele respondeu: "Ah, sou velho, e só consigo dormir duas horas por dia". Quando desligou o telefone, perguntei-lhe se aquilo era verdade. Ele riu e disse: "Não, durmo oito horas".

* * *

Como Lincoln, que não perdia nenhuma oportunidade de tirar uma foto, Mandela sabe que as imagens têm um poder tremendo para moldar a maneira como somos apreendidos. Desde jovem interessava-se em ser fotografado. Posou queimando seu cartão de passe, após a revolta de

Sharpeville, posou com o peito nu dentro e fora de um ringue de boxe, posou com suas insígnias reais africanas antes do julgamento por traição, posou até na Ilha Robben. Muito antes da existência de blogs e de sites de relacionamento social, Mandela compreendeu que as imagens permanecem e que sua força para ajudá-lo ou prejudicá-lo era indelével. Toda a sua vida cultivou e foi curador de imagens de si próprio. Ajudou a organizar aquelas que queria que o simbolizassem e evitou as que criariam uma impressão que não desejava.

Se você olha velhas fotografias de Mandela, vê algo que é raro – mesmo único – entre os homens africanos da sua geração: um sorriso radiante. O sorriso de Mandela está entre os mais radiantes da história. Ele transmite calor e sabedoria, poder e generosidade, compreensão e perdão. Foi uma das primeiras coisas que Walter Sisulu notou no jovem de Transkei. E isso em uma época em que os africanos deviam ser humildes e dóceis, quando um sorriso em uma figura pública parecia sugerir falta de seriedade. Sorrisos eram modernos. O sorriso de Mandela significava confiança. Ele dizia que Mandela era um guerreiro feliz, não um guerreiro vingativo.

Mandela compreendeu cedo que o seu sorriso era parte do seu poder. Ao longo dos anos, acompanhando-o em centenas de ocasiões nas quais posava para fotos, notei que seu sorriso era permanente e impecável. Como um grande ator, ele o tornou perfeito – você pode ver imagem após imagem e o sorriso é idêntico. Era a sua máscara.

Na campanha da eleição em 1994, seu sorriso *era* a campanha. Aquele pôster de campanha com o sorriso icônico estava em todo lugar – *outdoors*, estradas, postes de iluminação, cafés, bancas de frutas. Ele dizia aos eleitores negros que seria seu defensor e aos brancos que seria seu protetor. Era o sorriso do provérbio "*tout comprendre, c'est tout pardonner*" – entender tudo é perdoar tudo. Era Prozac político para um eleitorado nervoso.

No fim, essa era a mensagem mais importante que queria transmitir após a sua libertação: que era um homem sem rancor. Sua grande tarefa como o primeiro presidente democraticamente eleito da África do Sul era ser o pai do seu país, transformar uma terra heterogênea marcada pelas cicatrizes do combate em uma nação. Desde o momento da sua libertação, ao longo de toda a sua presidência e depois, estava decidido a mostrar às pessoas que não nutria nenhum ressentimento. Desde a primeira coletiva de imprensa, quando falou sobre a generosidade dos carcereiros, às centenas de vezes, literalmente, que disse "esqueçam o passado", a imagem principal que transmitiu era do *pater familias* que queria perdoar e esquecer. Fez aparições com alguns de seus carcereiros, incluindo James Gregory, que conseguiu seus quinze minutos de fama ao afirmar que era amigo de Mandela. Fez uma visita pública à viúva do antigo primeiro-ministro Hendrik Verwoerd, o pai do apartheid. Colocou seu braço ao redor de Constand Viljoen, o antigo general de extrema direita que supostamente tramou um golpe contra ele. Tudo isso estava a serviço dessa única ideia: que ele tinha enterrado o passado, que era o pai de uma nação arco-íris, que estava olhando para a frente, não para trás. Ele sabia que expressar sua raiva diminuía seu poder, enquanto escondê-la, aumentava.

Mas muito disso era aparência. Mandela, no seu íntimo, estava profundamente ferido pelo que lhe acontecera. Estava ciente de que tinha passado os melhores anos da sua vida atrás das grades. Considerava as opiniões dos seus carcereiros e do governo obscuras e estreitas. Não se importava com Gregory, que considerava limitado, assim como julgava que estava explorando a conexão entre ambos. Ressentia-se muito do tratamento que sua esposa Winnie havia recebido ao longo das décadas. Estava irritado com o modo pelo qual seus rivais políticos tinham, às vezes, tentado arruiná-lo. Acreditava que havia sacrificado seu casamento e sua família pela luta contra a opressão e a injustiça. Mas sabia que nunca poderia deixar as pessoas verem por trás da cortina, que nunca poderia expor seus sentimentos verdadeiros. Vivemos em uma era muito mais expressiva que a de Mandela, mas ele dizia que não se pode ser completamente aberto a respeito das próprias emoções. Sim, as emoções podem ser autênticas, e autenticidade é uma virtude moderna, mas pode-se ser autêntico sem ser desnecessariamente revelador. É onde sua extraordinária disciplina entra. E é por isso que o sorriso era sua máscara, disfarçando qualquer ferida ou tristeza, escondendo tanto quanto revelava.

No fim, seu sorriso era um símbolo do quanto Mandela

moldara a si mesmo. Em cada estágio da sua vida, decidiu quem ele queria ser e criou a aparência – e então a realidade – daquela pessoa. Tornou-se quem ele queria ser.

6

Tenha

UM PRINCÍPIO ESSENCIAL – TODO O RESTO É TÁTICA

NELSON MANDELA É UM HOMEM DE PRINCÍPIO – exatamente um: direitos iguais para todos, independentemente de raça, classe ou gênero. Quase todo o resto é tática.

Sei que parece um exagero – mas em um grau de que poucas pessoas suspeitam, Mandela é um completo pragmatista que estava disposto a chegar a um acordo, mudar, adaptar e refinar sua estratégia, desde que isso o levasse à terra prometida. Quase todos os meios justificam aquele nobre fim. Na África do Sul, nas décadas de 1980 e 1990, isso significava uma coisa: a derrocada do apartheid e a conquista de uma democracia não racial, com "uma pessoa, um voto". Ponto final.

Mandela foi chamado de profeta, santo, herói. Idealista ingênuo é o que ele não é. É um idealista pragmático, mesmo arrogante, mas, no fim do dia, importa que as coisas tenham sido feitas.

Várias vezes durante o curso de nosso tempo juntos, Mandela fez uma distinção entre princípios e tática (ou princípios e estratégia – ele usava as palavras *tática* e *estratégia* alternadamente). Essa visão evoluiu ao longo do seu tempo na prisão – o homem que entrou nela era muito menos estratégico ou tático que aquele que saiu de lá. Quando jovem, muitas vezes foi guiado por princípios românticos e tomou algumas decisões das quais, mais tarde, se arrependeu. Mas, ao longo dos anos, como um combatente pela liberdade – lutando contra um adversário que se apoiava em poucos princípios, se é que se apoiava em algum –, e durante aquelas longas décadas na prisão, ele se tornou definitivamente estrategista e tático.

Você não saberia disso a partir de seus discursos em público. Ele fala sobre princípios nobres de liberdade e democracia, e sua retórica soa bem parecida com a de todo mundo. Sabe que um líder transformador não fala sobre apuração, votos ou táticas, mas sobre princípios e ideias. Porém, quando você ouve Mandela falar em particular sobre política, é um curso de graduação ministrado por um homem que qualquer candidato presidencial contrataria como consultor.

Seu aprendizado em tática custou um preço alto, e ele

aprendeu não apenas as táticas em si, mas a arte de escondê-las.

Mandela cresceu forte e confiante. Esse não era sempre o caso para um homem negro na África do Sul na primeira metade do século XX. O colonialismo e depois o apartheid foram planejados para castrar os negros sul-africanos. Desde tenra idade, ele teve uma formação aristocrática. Um pouco disso está em seu DNA, mas muito vem da sua criação em uma corte real africana. Educado em um mundo tribal do século XIX, no qual os brancos raramente apareciam, não sofreu com a discriminação, como tantos outros negros da sua geração. Os brancos eram uma presença distante que não invadiam a sua vida diária – ele não apertou a mão de um homem branco até o internato. Seu mundo era separado e desigual, mas, quaisquer que fossem as privações, essa separação permitiu que crescesse sem ser infectado pelo veneno do racismo e as baixas expectativas. Sua confiança era a chave do seu sucesso, e essa foi uma das razões para que o CNA recorresse a ele como um líder de massa.

Foi somente ao ficar mais velho, ir para o internato e ver as diferenças de classe e de raça em ação – e especialmente quando foi a Johannesburgo, onde foi tratado não como o filho de um chefe tribal, mas como outro garoto pobre e ignorante do interior – que se tornou inteiramente consciente do abismo que havia entre brancos e negros. Quando sentiu o racismo e o menosprezo, pela primeira vez ficou irritado – irritado porque ele, Nelson Mandela, não podia ser tratado daquela forma, irritado porque qualquer um podia ser tratado daquela forma, irritado o suficiente para que desistisse de todas as possibilidades mais confortáveis de sua vida a fim de combater aquele racismo. Foi a própria confiança em si mesmo e sua grande autoestima que o deixaram tão irritado. Quando pessoas com baixa autoestima são tratadas com baixas expectativas, isso confirma seu sentimento a respeito de si mesmas. Quando pessoas com grande autoestima são tratadas da mesma forma, ficam ofendidas. Mandela ficou profundamente ofendido. Como homem, ele demorava a ficar irritado, mas quando isso ocorria, tornava-se profundamente teimoso. Nesse caso, sua teimosia durava meio século. Embora discordasse veementemente da noção de que toda política é pessoal, sua própria política tinha raízes em uma série interminável de afrontas pessoais que experimentou como homem negro na África do Sul.

* * *

Com o apoio do seu patrono, o rei Jongintaba, Nelson Mandela ingressou em Fort Hare, a única universidade para negros na África do Sul. Era uma minúscula instituição de elite que tinha um pequeno *campus* com construções vitorianas agrupadas ao redor de pátios verdejantes. Havia somente cerca de 150 alunos quando ele estava lá e era uma incubadora não apenas de líderes tribais tradicionais, mas de futuros revolucionários como Mandela. Os alunos tendiam a ser jovens como Nelson, de prósperas famílias aristocráticas africanas, ou alunos negros que tinham se destacado em escolas missionárias. Eles tinham boas maneiras, vestiam terno e as regras eram estritas. A universidade era dirigida por Alexander Kerr, um escocês firme e erudito, rígido com os garotos, mas orgulhoso do que a escola representava. O sobrinho de Mandela, da casa real de Thembu, K. D. Matanzima, era um veterano: um sujeito alto e orgulhoso que não apenas era mais velho que Mandela, mas estava na linha de sucessão para ser chefe tribal. Mandela o idolatrava.

Mandela era um aluno popular em Fort Hare: brilhante, bem-apessoado, atlético, justo. Durante seu segundo ano, participou de um protesto contra algo mais prosaico que preconceito: comida. Os alunos que protestavam contra a baixa qualidade da comida decidiram boicotar a eleição dos estudantes, mas alguns votaram mesmo assim e Mandela foi eleito para o conselho de estudantes. Isso o deixou em apuros. Não havia sido eleito pela maioria e acreditava que o resultado não era legítimo. Alexander Kerr insistiu para que Mandela e os outros que haviam sido eleitos assumissem o conselho de estudantes ou saíssem de Fort Hare. Como ele me contou, ao relembrar o incidente: "Estava com medo e fui informar K. D. Ele disse que isso não importava. Era uma questão de princípio. 'Apenas diga a eles que você não irá assumir.' Então fui até Kerr – tinha mais medo do K. D. do que do Kerr". Alexander Kerr disse que ele tinha de escolher. Mandela ficou com seus princípios e deixou a universidade.

Ele narrou essa história com um risinho. Estava rindo do jovem teimoso que havia feito uma escolha que nunca faria hoje, nem aconselharia ninguém a fazer. Aquele jovem havia desistido de uma vantagem educacional que o teria transformado em uma força mais poderosa na luta contra a discriminação. Todos os princípios não são criados iguais. Você tem de pesar os benefícios relativos. Nesse caso, o princípio era insignificante e o sacrifício era significante. Os custos foram muito maiores que os benefícios.

De certa forma, aquela decisão o colocou em uma marcha vitalícia de desafio à autoridade. Quando retornou a Mqhekezweni, teve medo de dizer ao rei o que havia acontecido. Quando o fez, o rei ficou confuso e colérico com essa história. Foi logo depois disso que Mandela e seu primo Justice fugiram para Johannesburgo.

* * *

Os primeiros anos de Mandela em Johannesburgo parecem um romance picaresco: trabalhando como vigia noturno em uma mina e sendo despedido, vivendo em uma sucessão de barracos sem eletricidade, sendo visto pelas famílias que o abrigavam como um imprestável. Foi somente quando se encontrou com o homem que se tornaria seu amigo e mentor por toda a vida, Walter Sisulu, que ele começou a se endireitar. Por intermédio de Walter, conseguiu emprego como funcionário de um pequeno escritório judeu de advocacia em Johannesburgo – um dos poucos que contratariam um assistente africano. Para Mandela, a lei parecia uma saída, um meio meritocrático de ascender no mundo, e ele entrou em um curso de estudos legais na Universidade Witwatersrand. Lembra-se com um sorriso que seu professor de direito lhe disse que pessoas *de cor* não eram brilhantes o suficiente para se tornar advogados.

O trabalho que Mandela posteriormente começou com o seu amigo e companheiro Oliver Tambo tornou-se o primeiro escritório negro de advocacia na África do Sul e o lugar onde a elite negra procurava aconselhamento legal. Mandela era uma presença agressiva e dinâmica na sala do tribunal e lutou contra muitas leis do apartheid em nome dos seus clientes. Era orgulhoso das suas habilidades como advogado e confiava nas claras simetrias dos estatutos legais.

Embora sua educação legal o tenha ensinado que a justiça era cega – de fato, havia uma estátua da justiça cega do lado de fora da corte onde trabalhou na maior parte dos seus casos –, começou a perceber muitas evidências em contrário. Ele trabalhou em casos em que juízes avaliavam a classificação racial dos seus clientes pela curvatura dos seus ombros ou se uma caneta permanecia em seus cabelos. Trabalhou em casos em que réus brancos eram absolvidos e réus negros, condenados por conta de sua cor. E viu, dia após dia, como o governo usava a lei para reprimir o CNA e o movimento pela liberdade. "Na prática real", ele escreveu em seu diário inédito, "a lei nada mais é do que a força organizada, usada pela classe dominante para moldar a ordem social de forma favorável a si mesma." Ele relutantemente concluiu que a lei não era sobre imutáveis princípios morais de justiça equitativa, como havia acreditado, mas uma tática para ser usada para seus próprios fins políticos.

Os primeiros anos de Mandela como líder da Liga da Juventude do CNA foram um constante conflito entre princípios e táticas. Primeiramente, por princípio, ele se opôs a permitir que não negros se tornassem membros do CNA, e então mudou de ideia. Depois se opôs a permitir que membros do Partido Comunista ingressassem no CNA, e então mudou de ideia. Em cada caso, o pragmatismo venceu o princípio. Em cada caso, sua decisão era sobre que caminho, em última análise, ajudaria o CNA a se tornar mais forte.

O exemplo mais significativo de estratégia vencendo o princípio foi o apoio de Mandela e do CNA ao uso da violência como parte da luta pela liberdade. Desde a época em que o CNA havia se formado, em 1912, o protesto não violento era a essência da sua missão. Durante décadas, os líderes do CNA foram profundamente influenciados pelo exemplo de Gandhi, e a não violência era um princípio imutável da sua organização.

Mas após ver o uso consistente da força pelo governo para reprimir o protesto negro, Mandela ficou impaciente com a não violência. Ele achava que estava com uma lança em um combate com revólveres. Finalmente, em 1961, Mandela viajou a Natal para discutir uma mudança de curso com o chefe Albert Luthuli, que era então o presidente do CNA e que havia recebido o prêmio Nobel da Paz no ano anterior por liderar uma luta não violenta contra o apartheid. Mandela tinha imenso respeito pelo "chefe", como ele o chamava, e perguntei-lhe qual foi a resposta de Luthuli para a mudança de estratégia.

"Ele, claro, se opôs a essa decisão, porque era um homem que acreditava na não violência como um princípio", Mandela relembra. "Enquanto eu e os outros acreditávamos na não violência como uma estratégia que poderia ser mudada a qualquer hora, quando as condições o exigissem. Essa era a diferença entre nós."

Muitos dos membros indianos do CNA foram inflexíveis na decisão de abandonar a não violência. Mandela disse que J. N. Singh, o grande defensor indiano da liberdade, lutou contra a mudança. "J. N. dizia, com grande eloquência: 'Não, a não violência não fracassou, *nós* fracassamos com a não violência'. E esses *slogans*, você sabe, podem ser muito poderosos." Mas, para ele, a oposição tinha se tornado um *slogan*, não um princípio. Do seu jeito cabeça-dura, concluiu que somente o movimento violento de guerrilha tinha uma chance de derrubar o apartheid. "É uma questão de condições que prevalecem, seja usando métodos pacíficos, seja usando métodos violentos. E isso é determinado puramente pelas condições", ele me disse.

As condições, mais os princípios, determinam a estratégia. Mandela não é e nunca foi um Gandhi, um homem cuja devoção à não violência era um princípio de vida que, se violado, tornaria a vitória sem valor. Sim, ele preferia a não violência – e sentia náuseas à violência de qualquer tipo –, mas a política de não violência estava minando o princípio mais importante, o qual nunca poderia perder de vista.

Mandela sempre teve orgulho dos títulos de graduação universitária por correspondência que os prisioneiros políticos ganhavam na Ilha Robben. Anos depois, muitos deles se referiam à prisão como A Universidade. A Ilha Robben era a universidade de Mandela também, mas não era uma educação acadêmica. Lá aprendeu a ser realista, não abstrato, a examinar todos os princípios à luz das condições fundamentais. Na prisão, ele e seus companheiros passavam horas, dias, meses e anos discutindo questões teóricas: capitalismo *versus* socialismo, tribalismo *versus* modernismo, até se o tigre era nativo do continente africano – e Mandela participava ativamente desses debates.

Mas quando saiu da prisão, deixou todos os debates abstratos de lado. Compreendeu rapidamente que o socialismo minaria sua busca pela democracia e pela harmonia racial e que o tribalismo poderia ser-lhe útil. Fez as pazes com os chefes capitalistas brancos e com os chefes tribais negros. Uma vez que tivesse atingido seu grande objetivo de trazer a democracia constitucional para a África do Sul, abraçaria seu corolário: conseguir a harmonia racial. Tudo o mais era subordinado a esses objetivos sobrepostos. Quando as condições mudam, você deve mudar sua estratégia e sua mente. Não é indecisão, é pragmatismo.

7

Veja

O QUE HÁ DE BOM NOS OUTROS

ALGUNS CHAMAM DE CEGUEIRA, outros de ingenuidade, mas Mandela considera quase todo mundo virtuoso, até prova em contrário. Ele começa com a suposição de que você está lidando com ele de boa-fé. Acredita nisso – assim como fingir que ser corajoso pode levar a atos de coragem real –, julgando que o que há de bom nas outras pessoas melhora as chances de que revelarão o melhor de si.

É extraordinário que um homem que foi maltratado a maior parte da sua vida possa tanto ver o que há de bom nos outros. De fato, às vezes, foi frustrante falar com ele, pois ele quase nunca tinha uma palavra ruim sobre ninguém. Nem mesmo disse uma palavra de desaprovação sobre o homem que tentou que fosse enforcado. Certa vez perguntei-lhe sobre John Vorster, o presidente da África do Sul simpatizante do nazismo, que endureceu o apartheid e se arrependeu do fato de Mandela e seus companheiros não terem sido executados.

"Ele era um sujeito bem decente", Mandela disse, com total sinceridade. "Em primeiro lugar, era muito educado. Em relação a nós, usava uma terminologia cortês."

Isso pode parecer elogiar Saddam Hussein porque ele era gentil com os animais. Mas não é que Mandela não veja o lado sombrio de alguém como John Vorster; é que ele não está disposto a ver *apenas* isso. Ele sabe que ninguém é puramente bom ou puramente mal. Estávamos conversando um dia sobre um prisioneiro que havia sido rival de Mandela na Ilha Robben e que tinha feito uma lista de queixas contra ele. Quando lhe perguntei sobre o sujeito, Mandela não se voltou para a hostilidade do homem, mas disse: "O que tirei dele foi sua habilidade para o trabalho duro".

O que tirei dele. Mandela procura o positivo, o construtivo. Escolhe passar sobre o negativo. Faz isso por duas razões: porque instintivamente vê o que há de bom nas pessoas e porque intelectualmente acredita que ver o que há de bom nos outros pode realmente torná-los melhor. Se você espera mais das pessoas, companheiros de trabalho ou membros da família, elas com frequência contribuem mais. Ou, ao menos, sentem-se culpadas se não o fizerem.

O pior que ele pode dizer de alguém é que está agindo em seu próprio interesse. Lembro-me de uma vez ouvi-lo falar ao telefone com o editor do maior jornal negro sul-africano; o editor estava planejando fazer um artigo sobre as negociações e Mandela pediu-lhe para esperar, porque o assunto era delicado. Mandela assegurou-me que o editor iria segurar a história. No dia seguinte, entretanto, a história estava estampada na primeira página do jornal. Mostrei-lhe, e ele sorriu e disse: "Essas pessoas fazem essas coisas, sabe, sem um motivo oculto. Fazem isso do ponto de vista do seu próprio interesse. Então, não fico irritado com isso". O editor não o tinha enganado, tinha simplesmente agido em seu próprio interesse. Não havia razão para levar isso de forma pessoal. E ele não levou.

* * *

De maneira curiosa, a prisão abriu a visão de Mandela sobre a natureza humana em lugar de comprimi-la. Enquanto a prisão amargurou outros homens, ela elevou Mandela. Durante aqueles primeiros anos na Ilha Robben, quando os prisioneiros eram rotineiramente agredidos e espancados, quando não havia quase comunicação com o mundo externo e tais violações não eram relatadas, o chefe da prisão era o coronel Piet Badenhorst, um homem com reputação de fria brutalidade. Badenhorst era considerado o pior exemplo de chefe de prisão bôer, um homem que acreditava que os prisioneiros negros eram pouco mais que animais e deviam ser tratados como tal. Considerava os prisioneiros políticos terroristas, e Mandela o terrorista número um. Mandela bateu cabeça com ele em várias ocasiões e o considerava inflexível.

No começo da década de 1970, um grupo de juízes visitou a prisão e os prisioneiros companheiros de Mandela pediram-lhe que apresentasse suas queixas. "Havia acabado de ocorrer um ataque, uma surra em outra seção", Mandela me contou. Na sua chegada, os juízes – que tendiam a falar inglês e ser mais liberais que os oficiais da prisão – disseram a Mandela que o encontro não incluiria Badenhorst para que Mandela pudesse falar livremente. Mandela disse que julgava apropriado que Badenhorst estivesse presente e que isso não o intimidaria. No encontro, começou a relatar a história da agressão recente. Badenhorst levantou-se e perguntou: "Você realmente testemunhou a agressão?". Mandela respondeu que não. Nesse ponto, Badenhorst apontou seu dedo para Mandela e disse: "Cuidado. Não fale sobre coisas que não viu ou terá sérios problemas". Houve silêncio; então Mandela virou-se para os juízes e calmamente disse: "Vocês podem ver que tipo de comandante nós temos. Se ele me ameaça na presença de vocês, podem imaginar o que faz quando não estão aqui".

Mandela contou essa história para ilustrar o pior lado de Badenhorst. Mas, então, rapidamente mudou para uma segunda história, sobre quando Badenhorst deixou a prisão. Mandela foi chamado para se encontrar com o general J. C. Steyn, o chefe do sistema prisional que estava fazendo uma de suas eventuais visitas. Badenhorst juntou-se a Steyn, e o general perguntou a Mandela se ele tinha alguma queixa. Mandela, de seu modo deliberado, típico de advogado, começou a listar as queixas dos prisioneiros. Nunca lhe faltava confiança para defender a si ou seus companheiros diante das autoridades. Quando terminou, Steyn disse que tinha novidades para Mandela: o coronel Badenhorst estava sendo transferido da Ilha Robben. Mandela contou que Badenhorst então se virou e falou diretamente com ele.

> Badenhorst disse-me algo como "Só queria desejar a vocês boa sorte". Ele disse isso como um ser humano e fiquei um pouco surpreso com o seu tom moderado, até mesmo obsequioso. Devo dizer que foi um pouco surpreendente. Agradeci. Pensei depois sobre isso durante muito tempo. O que isso basicamente me mostrou é que esses homens não eram desumanos, mas sua desumanidade lhes tinha sido imposta. Eles agiam como bestas porque eram recompensados por tal comportamento. Pensavam que isso resultaria em promoção ou em progresso. Naquele dia, compreendi que Badenhorst não era o homem que parecia, mas um homem melhor do que parecia pela maneira como tinha se comportado.

Essa epifania é o centro da crença de Mandela sobre o que nos torna humanos. Ele era *um homem melhor do que parecia pela maneira como tinha se comportado*. Suas razões não eram tão cruéis quanto suas ações. Ninguém nasce preconceituoso ou racista. Nenhum homem, ele sugere, é mal no coração. O mal é algo instilado ou ensinado aos homens pelas circunstâncias, pelo meio ambiente ou pela formação. Não é inato. O apartheid tornou os homens maus; o mal não criou o apartheid.

Enquanto seus companheiros viam seus carcereiros como monólitos, a personificação do sistema sem coração do apartheid, Mandela geralmente tentava encontrar algo decente e honrado neles. Em última análise, ele os via como vítimas do sistema, bem como executores. Como muitas vezes me disse, eram homens simples, sem educação, que foram inculcados em um sistema injusto e racista desde que eram crianças. Quase todos eram de famílias pobres – uma criação não muito diferente da maioria dos prisioneiros. Como um advogado educado que tinha feito uma viagem pela África, Mandela já tinha visto muito mais do mundo do que esses guardas veriam. Eles também tinham sofrido sob o sistema do apartheid, embora não da mesma forma que Mandela e seus companheiros.

Mandela tinha uma visão semelhante a respeito do reverendo André Scheffler, que pregava aos prisioneiros aos domingos. Scheffler era um pregador "fogo e enxofre" da Igreja Reformada Holandesa que acreditava, que *sabia*, que a separação de raças tinha sido ordenada por Deus. "Ele era muito insolente, ofensivo", Mandela contou. Scheffler via Mandela e seus companheiros como criminosos comuns, homens que estavam tentando subverter um sistema justo e teologicamente justificado.

"Vocês pensam que lutam pela liberdade", Mandela se lembrou de ele dizer. "Vocês deviam estar intoxicados de *dagga* [marijuana] e bebida alcoólica quando foram presos. Vocês têm uma resposta fácil quando há um problema, dizem *Ngabelungu* [são os brancos]."

Os outros prisioneiros achavam o reverendo intolerável e fariam qualquer coisa para evitar a sua presença. Mas Mandela o via como um desafio. De acordo com sua visão, as crenças religiosas foram impostas às pessoas da mesma forma que o apartheid; o zelo do reverendo era simplesmente um reflexo do modo como ele tinha sido criado. Mandela viu além das lamúrias e vislumbrou um ser humano atrás dos rompantes. Então, enquanto o reverendo tentava convertê-los, ele começou a tentar converter o reverendo.

"Trabalhamos nele", Mandela me contou. "Eu o queria pregando para nós. Estávamos sempre tentando converter as pessoas para a nossa causa. Ao longo do tempo, explicamos a ele quem éramos, por que estávamos na prisão, o que apoiávamos." De acordo com Mandela, Scheffler tornou-se mais amigável e ao menos entendeu por que eles estavam lutando. Ele nunca se tornou próximo, porém não era mais inimigo deles. Mandela o tinha vencido.

Os companheiros de Mandela geralmente condescendiam com as suas, às vezes, benignas visões sobre os guardas, mas entre eles o criticavam por confiar tanto, por estar sempre disposto a ver o que havia de bom naqueles que viam como irredimíveis. Não há por que tentar entender seu inimigo, diziam; deve-se simplesmente derrotá-lo. Alguns afirmavam que Mandela era ingênuo, que sua mente aberta era uma forma de fraqueza intelectual. Era muito suscetível à bondade, lamentavam, muito disposto a cumprir ordens de qualquer guarda que se dirigisse a ele educadamente. Eles viam isso como ânsia pelo status. E havia aqueles entre seus companheiros que iam além: diziam que essas não eram meras falhas de personalidade, mas que Mandela era culpado por satisfazer o inimigo.

Mandela estava ciente dessa crítica, mas escolheu pecar pela generosidade. Ele até se sentia da mesma forma em relação àqueles que o criticavam. Agindo honradamente, mesmo com pessoas que podiam não merecer, ele acredita que se pode influenciá-las a agir de forma mais honrada do que agiriam. Isso, às vezes, provou ser uma tática útil, particularmente depois que foi solto da prisão, quando sua atitude aberta, confiante, fez com que parecesse um homem que poderia elevar-se sobre o rancor. Quando exortou os sul-africanos a "esquecer o passado", a maior parte deles acreditou que ele tinha esquecido. Isso teve um duplo efeito: fez com que os brancos confiassem mais em Mandela e os fez sentir mais generosos em relação ao povo que tinham, tão recentemente, oprimido.

* * *

Para Mandela, paga-se por confiar nas pessoas, mas mesmo ele admite ter confiado em pessoas que o traíram. Aquela sobre a qual mais lamenta ter confiado, até o grau em que confiou, foi F. W. de Klerk, o homem que o soltou da prisão, com quem ele posteriormente dividiu um prêmio Nobel da Paz. Desde o início, como Mandela relembrou, de Klerk o tratou com "grande cortesia", sempre um modo de agradar Mandela. Logo no começo Mandela o chamou de "homem de integridade", uma frase que lamentaria no auge das negociações.

Mandela se encontrou com de Klerk em três ocasiões antes de ele concordar em soltá-lo e levantar a proibição sobre o CNA. Desde o início Mandela percebeu que ele era um tipo diferente de líder do Partido Nacional. Ele o descreveu como "corajoso" por ter iniciado o processo de reforma. Mandela ainda estava no Presídio Victor Verster quando se encontrou pela primeira vez com de Klerk em seu escritório na Cidade do Cabo. Ele o felicitou por se tornar presidente e então o censurou por propor uma política sobre "direitos de grupos", que descreveu como levar o "apartheid pela porta dos fundos". De acordo com Mandela, de Klerk disse que se Mandela não queria a política, ele não a seguiria. "Fiquei tremendamente impressionado", Mandela me contou. Sob vários aspectos, de Klerk usou com Mandela a mesma estratégia que Mandela tinha usado com os guardas da prisão e com os predecessores de de Klerk. Tratou Mandela com grande cortesia, foi receptivo e comportou-se como se ambos fossem feitos da mesma matéria.

Estive com eles em uma série de ocasiões, e de Klerk era caloroso com Mandela, ainda que formal. Ele o chamava de "senhor Mandela", em seu sonoro barítono. De Klerk, fumante compulsivo, até mesmo tentava não fumar na presença de Mandela, embora este não se importasse com fumaça de cigarro. Mandela não reconheceu o comportamento de de Klerk como parte de uma estratégia destinada a desarmá-lo. Ele próprio sofreu da mesma cegueira que reconhecia e explorava nos outros.

Após a libertação de Mandela, quando as negociações sobre as eleições e uma nova Constituição avançaram seriamente, a visão de Mandela sobre de Klerk começou a mudar. Mandela acreditava que o governo estava apoiando o que chamava de "Terceira Força", uma sombria organização paramilitar que fomentava a violência e tentava iniciar uma guerra civil. Mandela acreditava que ele sabia disso e fechava os olhos, embora de Klerk contestasse. Os homens discutiram pública e privadamente, e Mandela passou a considerar de Klerk falso e hipócrita.

De Klerk causou um dos únicos momentos de raiva pública de Mandela. Foi em dezembro de 1991, e ambos os homens estavam agendados para falar em uma cerimônia pública que sinalizava a abertura do seu histórico diálogo a respeito da primeira Constituição democrática da África do Sul. Essas negociações seriam críticas para finalmente levar à primeira eleição "uma pessoa, um voto" em 1994.

Mandela me contou que de Klerk o procurou privadamente e fez um pedido para falar por último. Ele concordou. Mandela falou primeiro e adotou um tom de boa vontade, falando de suas esperanças para o diálogo constitucional. Mas quando de Klerk se pronunciou, não houve ramo de oliveira. Em vez disso, censurou o CNA e Mandela por manterem o que descreveu como exércitos secretos, que estavam causando a violência no país. Ele essencialmente acusou Mandela – que tantas vezes falara a de Klerk, em particular, sobre a sua preocupação com a Terceira Força – de ser hipócrita. Mandela considerou cada palavra de de Klerk uma mentira. Quando terminou seu pronunciamento, a conferência parecia encerrada, mas Mandela levantou-se da sua mesa e, diante das câmeras de televisão ao vivo, caminhou até o pódio. Seu rosto era um ricto de fria fúria. Não olhou para de Klerk quando falou.

"Mesmo o chefe de um regime ilegítimo de uma desacreditada minoria, como o dele é, tem certos padrões morais a preservar... Se um homem pode vir a uma conferência dessa natureza e fazer esse tipo de política, muito poucas pessoas gostariam de tratar com tal homem."

Foi o ato mais furioso que já vi dele, e estava claro que usava cada grama da sua imensa autodisciplina para se manter sob controle. Os dois homens tinham um acordo de cavalheiros, e ele considerava que havia sido cortês em deixar de Klerk encerrar a conferência. Naquele momento sentia-se traído – ainda mais porque confere um alto valor à cortesia e ao bom comportamento recíproco.

Muitos anos depois tive uma conversa com Mandela sobre de Klerk e pude ver que as feridas tinham começado a cicatrizar. Ele disse que de Klerk tinha simplesmente agido em seu próprio interesse e no dos seus seguidores políticos, mas que ficara desapontado que ele não tivesse se colocado acima disso. Mandela o havia julgado mal, admitiu, mas não havia errado por confiar nele. De Klerk foi um parceiro necessário no caminho para a liberdade e Mandela não podia negar que ele havia sido um homem de integridade. Afinal, era impossível dizer se ele precisaria de de Klerk para algo; então, por que aliená-lo?

Mandela vê o que há de bom nos outros porque está em sua natureza e em seu interesse. Às vezes, isso significava ser surpreendido, mas ele sempre esteve disposto a assumir o risco. E *é* um risco. Tendemos a pensar a respeito do risco como uma ameaça física, como tentar uma escalada perigosa ou tomar uma decisão com resultado incerto, como colocar nosso dinheiro em um investimento que não é seguro. Mas Mandela acredita em riscos *emocionais* e os assume. Vai para o limbo e torna-se vulnerável ao confiar nos outros. Nós, às vezes, fazemos isso ao confiar naqueles que não conhecemos muito bem. No entanto, raramente igualamos o risco com a tentativa de ver o que é decente, honesto e bom nas pessoas em nossas vidas diárias.

"Julgam que considero demais o que há de bom nas pessoas", Mandela me contou certa vez. "Então, é uma crítica que tenho de tolerar, e tentei me ajustar, porque, sendo assim ou não, é algo que julgo benéfico. É bom supor, agir com base no fato de que os outros são homens de integridade e honradez, porque você tende a atrair integridade e honradez, se é dessa forma que você julga aqueles com os quais trabalha. Acredito nisso."

8

Conheça

O SEU INIMIGO

NA DÉCADA DE 1950, Mandela era um advogado militante durante o dia e um lutador amador de boxe durante a noite. Treinava quase toda noite em uma academia espartana no distrito negro de Orlando. Tinha 1,87 metro, era troncudo e um pouco lento – nunca seria um campeão dos pesos pesados. Mas era muito disciplinado e gostava do treino – pular corda, correr, usar o saco – mais do que da luta. Seu irascível treinador, Skipper Molotsi, ensinou-o que para um boxeador ter sucesso precisava ser não apenas ágil e forte, mas também conhecer seu adversário. Isso significava aprender como seu adversário dava um *jab* seguido de um gancho de esquerda ou se ele se movia para a direita ou para a esquerda depois de levar um golpe.

Mandela compreendeu que precisava fazer isso na arena política também. A fim de derrotar um decidido adversário político, teria de entendê-lo e descobrir suas fraquezas. Mandela era o mais fraco e também teria de usar a força do seu adversário contra ele.

Em 1962, quando tinha 44 anos, Mandela assumiu a direção do movimento para fundar a Lança da Nação (conhecida como MK), o braço armado do CNA, passando a ser seu primeiro comandante. Quando a MK iniciou alguns atentados a bomba contra alvos militares, Mandela foi para a clandestinidade e tornou-se um foragido, o homem mais procurado da África do Sul, uma figura sombria que os jornais brancos chamavam de “Pimpinela Negro”. Deixou crescer uma barba desalinhada, vestia velhos uniformes e dirigia um carro usando um boné folgado, para que as pessoas pensassem que fosse um motorista ou jardineiro. Começou a aprender sobre operações militares lendo *A arte da guerra*, de Sun Tzu, e qualquer tipo de manual militar que pudesse conseguir.

Também começou a estudar manuais de um tipo diferente: livros de gramática africânder.

Seus companheiros podiam entender seu estudo sobre *A arte da guerra*, mas não sobre a arte da poesia africânder. Costumavam caçoar dele por aprender a língua do opressor. Mas Mandela sabia que não poderia derrotar seu inimigo se não o entendesse e que não poderia entendê-lo se não falasse a sua língua. Literalmente. E estava pensando ainda além: não poderia haver um arranjo na África do

Sul, uma resolução pacífica do conflito, que não incluísse, de alguma maneira, os bôeres. Mesmo como comandante da MK, não imaginava lançar os bôeres ao mar; eventualmente seria necessário existir ajuste e negociação.

Quando lhe perguntei por que tinha começado a estudar africânder, me deu uma resposta direta: "Bem, é óbvio, porque, como uma figura pública, você quer conhecer as duas línguas principais do país, e o africânder é uma língua importante, falada pela maioria da população branca no país e pela maioria das pessoas *de cor*, e é uma desvantagem não conhecê-la". Fez uma pausa e então acrescentou: "Quando você fala africânder, entende, vai direto ao coração deles".

Vai direto ao coração deles. Era um eco de outro ponto que ele havia dito, de maneira célebre, sobre a arte da persuasão: "Não se dirija ao cérebro. Dirija-se ao coração deles". Isso é verdade em muitas arenas de nossas vidas – tentando persuadir um companheiro a considerar nosso ponto de vista, tentando conseguir o voto de alguém, atraindo novos clientes. Se você quer fazer a venda, dirija-se ao coração. Mandela fez isso com seus próprios partidários, bem como com os bôeres. Mas no caso dos bôeres ele tinha muito mais para superar. Mandela sabia que o preconceito não era racional e que não poderia se dirigir a ele somente de forma racional. Precisava que os brancos aceitassem a democracia e a ideia de uma nação multiforme, não apenas intelectual, mas também emocionalmente. Só então conseguiria o ajuste que verdadeiramente buscava.

Sempre havia apelado para as mentes das pessoas, mas sabia que a vitória final viria apenas quando conquistasse seus corações.

* * *

Em 1962, cerca de um ano e meio após ir para a clandestinidade – e apenas alguns meses depois de começar a estudar africânder –, Mandela foi preso cruzando a fronteira entre Botsuana e a África do Sul. Uma vez capturado, seria levado a julgamento por traição, com a possibilidade de ser sentenciado a pena de morte. Muitos julgaram que o infame Julgamento de Rivonia, que durou quase um ano, seria a última vez que veriam ou ouviriam falar de Nelson Mandela. Ele lembra-se de conversar, durante os primeiros dias de julgamento, com "um carcereiro bôer amigável" sobre o caso.

"Ele me perguntou: 'Mandela, o que você acha que o juiz vai fazer com vocês, nesse caso?', e eu disse: 'Argh, vai nos enforcar'. Eu realmente não queria dizer aquilo. Queria algum apoio e simpatia da parte dele. Pensei que ele ia dizer: 'Ah, acho que ele nunca vai fazer isso'. Mas ele parou, ficou sério, tirou os olhos de mim, olhou para baixo e disse: 'Acho que você está certo, eles vão enforcá-los'."

Foi um *insight* dentro do coração do seu inimigo. O bôer foi muito direto, sem rodeios, sem malícia ou dissimulação. Ele podia ser simpático ou não, mas ia lhe dizer o que estava na cabeça dele.

No fim, o juiz os sentenciou a prisão perpétua. Na noite da sentença, ele e os outros acusados negros foram colocados em uma van, embarcados em um voo para a Cidade do Cabo e levados para a Ilha Robben. Foi lá, nos primeiros anos na prisão, que Mandela começou a estudar seriamente a língua do seu juiz e dos seus carcereiros. Matriculou-se em um curso de africânder por correspondência, e manuais de africânder estavam entre os poucos livros que tinha autorização para ler durante aqueles difíceis anos iniciais (seu pedido por uma cópia de *Guerra e paz*, de Tolstói, foi rejeitado porque as autoridades julgaram que era um manual militar). E aproveitava quase toda oportunidade que tinha para falar com os guardas em africânder.

Muitos de seus companheiros não conseguiam entender – para eles, Mandela estava mostrando deferência ao opressor ao falar a sua língua. E embora os prisioneiros não gostassem do seu esforço, os guardas o apreciavam. O inglês deles era desajeitado, e muitos dos outros prisioneiros não falavam africânder ou se recusavam a fazê-lo. A disposição de Mandela para conversar com eles em africânder logo deu frutos. Os carcereiros iam para a sua janela durante a noite, procurando o seu conselho.

"Sem alardear", ele me disse, "eles normalmente vinham, em especial durante o fim de semana e à noite, para conversar comigo. Alguns eram homens bons e expressavam suas visões, inflexivelmente, sobre o tratamento que estávamos recebendo."

Em parte, tocando seus corações, ele converteu alguns

de seus inimigos em aliados. Para ele, os carcereiros eram um microcosmo da população bôer como um todo e, se pudesse conquistar esses homens pobremente educados e muitas vezes preconceituosos, poderia conquistar todo um povo.

Mandela percebeu que não apenas tinha de aprender a língua, mas também compreender a cultura. Então, memorizou poesia africânder e leu muito sobre história africânder. Sabia que os bôeres não eram apenas orgulhosos da sua história de fronteira, mas também da sua perícia militar. Lembravam os nomes dos generais bôeres que tinham rechaçado as tropas do Império Britânico, durante a Guerra dos Bôeres, em uma época em que a Grã-Bretanha era o maior poder militar do planeta. Ele aprendeu os nomes dos famosos generais bôeres e as histórias sobre o seu arrojo. Suas leituras sobre a história militar bôer também o ensinaram algo sobre a maneira como lutavam: como eram engenhosos e astutos, o quanto eram determinados e teimosos. Décadas depois, quando iniciou as negociações com os líderes do governo, aqueles homens ficaram espantados e impressionados com as referências de Mandela aos generais e batalhas bôeres.

Na Ilha Robben, Mandela dizia aos seus companheiros que os bôeres eram africanos também. Eram pessoas de origem holandesa, alemã e outras nacionalidades europeias que tinham imigrado para a África, cortando seus laços com a Europa. O bôer não tinha mais uma terra natal em outro lugar. Era agora um enxerto firmemente enraizado na África, da mesma forma que o belo e robusto jacarandá, que tinha vindo da América do Sul e havia muito tempo era um símbolo da cultura sul-africana.

Mandela compreendeu que havia profundas similaridades entre o africano e o bôer. Ambos sofriam de um sentimento de insegurança. Ambos foram oprimidos pelos britânicos. Os bôeres tinham sido humilhados pelos imperialistas britânicos, tratados como rústicos cidadãos de segunda classe, apenas um grau acima dos africanos. Eles também se sentiam como forasteiros desprezados. Como povo, tinham um ressentimento coletivo não muito diferente dos sul-africanos sob o apartheid.

Embora Mandela nunca tenha se tornado íntimo dos carcereiros da Ilha Robben, com o passar dos anos eles começaram a tratá-lo, e aos seus companheiros, com mais respeito e alguma deferência. Anos depois, quando foi transferido para o Presídio Pollsmoor, Mandela teve mais liberdade, incluindo uma cela particular, mas enfrentou um comandante mais difícil. O major Fritz Van Sittert estava acostumado a lidar com criminosos comuns, não prisioneiros políticos, muito menos o mais famoso prisioneiro político do mundo. Ele não lhes dava folga e estava relutante em aceitar que Mandela recebesse algum tratamento especial.

Ainda assim, Mandela acreditava que poderia conquistar qualquer pessoa e estudou Van Sittert. Descobriu que Van Sittert era obcecado por rúgbi. Rúgbi era o esporte nacional bôer, algo próximo de uma religião civil. Era uma fonte de orgulho que lhes dava um sentimento de distinção. Eles adoravam os Springboks, o time nacional formado principalmente por grandes e vigorosos bôeres vestidos com o característico uniforme verde e amarelo. O esporte parecia refletir a tribo: brutal, rápido, intenso e jogado sem protetores ou capacetes.

Por todas essas razões, os que lutavam pela liberdade dos negros desprezavam o esporte, considerando-o um símbolo da brutalidade bôer. Os sul-africanos negros rotineiramente torciam por qualquer time que estivesse jogando contra os Springboks (como diz o ditado, o inimigo do meu inimigo é meu amigo), considerando uma derrota do time nacional uma vitória contra o apartheid.

Mas Mandela agora via o rúgbi como uma forma de se fazer entender pelo major Van Sittert. Van Sittert vinha vê-lo uma vez por mês e, para se preparar para suas visitas, Mandela começou a ler as páginas de esportes, concentrando-se no placar do rúgbi, aprendendo os nomes dos jogadores e seus pontos fortes. Inicialmente Van Sittert foi um tanto lacônico com Mandela e não pretendia lhe prestar favores. O guarda de Mandela em Pollsmoor, Christo Brand, lembrou-se de como Mandela começou a conversar com Van Sittert em africânder e a falar sobre rúgbi e de como isso penetrou na frieza hostil do major, e ele começou a trocar histórias e observações sobre rúgbi com seu prisioneiro.

Na época em que Mandela foi para o Presídio Victor Verster, em 1988, não apenas seu africânder estava melhor, como ele tinha sua própria residência e um cozinheiro particular, o subtenente Jack Swart. Swart era um sujeito alto, de membros ágeis, com um espesso bigode grisalho. Preparava três refeições por dia para Mandela, que se afeiçoou muito a ele. "Ele cozinhava as refeições mais deliciosas", Mandela disse, descrevendo-o como um "sujeito progressista – sem barreira de cor". Mandela relembra como costumavam discutir sobre lavar a louça. Mandela insistia e Swart dizia que era sua função. Mesmo assim, Mandela lavava a louça.

Fui ver Swart, que se tornou cozinheiro de toda o presídio depois que Mandela foi solto. Era um sujeito um tanto mal-humorado, mas era óbvio que tinha grande afeição por Mandela. Os dois homens eram iguais em muitos aspectos: ponderados, cautelosos, abstêmios. Quando perguntei que língua falavam um com o outro, Swart finalmente sorriu: "Eu conversava em inglês", ele disse, "e ele conversava em africânder". Perguntei-lhe por quê. "Fazíamos assim para que eu pudesse melhorar o meu inglês e ele pudesse melhorar seu africânder." Como era o africânder de Mandela? Novamente ele sorriu: "Bom. Ele falava devagar". O africânder de Mandela era preciso e literário – ele considerava a precisão uma forma de respeito.

* * *

No capítulo três escrevi sobre como Mandela saiu da prisão para conseguir um encontro com P. W. Botha, o presidente da África do Sul. Mesmo antes de saber que o encontro estava marcado, Mandela começou a se preparar. Aprendeu o máximo que pôde sobre Botha. Cuidadosamente planejou o que dizer e durante semanas praticou suas falas. Como um grande ator, ensaiou e incorporou o papel.

Apesar da sua preparação, Mandela estava extremamente tenso. Tinha sido advertido que Botha era esquentado e ele estava preparado para uma luta. Os interesses não poderiam ser maiores. O CNA existia havia sete décadas, mas essa seria a primeira vez que um de seus líderes se encontraria com o presidente da África do Sul. Esse encontro poderia preparar o palco de uma via pacífica para uma democracia não racial ou para uma sangrenta guerra civil. Se não desse certo, poderia também levar Mandela a ser tratado como um pária por seus companheiros políticos.

No dia do encontro, Mandela acordou muito cedo e estava pronto horas antes da saída programada. Foi levado para o escritório do presidente, Tuynhuys, na Cidade do Cabo, e conduzido à sala de jantar pelo chefe do serviço de inteligência e ministro da Justiça, Kobie Coetsee. Coetsee ajeitou a gravata de Mandela (ele perdera o jeito na prisão) e ajoelhou-se para amarrar os cordões dos seus sapatos.

"Enquanto entrava, sentindo-me muito tenso, o presidente entrou pela sua porta privativa. Chegamos exatamente ao mesmo tempo, parecia que ele estava me monitorando", disse Mandela. Botha, ele relatou, "estava cheio de sorrisos e com sua mão estendida". Mandela caminhou confiante na sua direção, também com a mão estendida, cumprimentando Botha em africânder. Botha respondeu e perguntou-lhe se aceitava um chá, que Botha lhe serviu. Enquanto tomavam chá juntos, Mandela revelou a Botha que era versado em história bôer, em geral, e na Guerra dos Bôeres, em particular. Desfiou os nomes de famosos generais bôeres. Lembrou algumas batalhas famosas. Botha estava claramente se divertindo.

Depois que deixou Botha relaxado, Mandela usou seu conhecimento de história bôer para tratar de uma questão mais séria e menos agradável. Durante a Segunda Guerra Mundial, a África do Sul foi governada pelo Partido Unido, de língua inglesa, não pelo Partido Nacional, de língua africânder. Quando o país declarou guerra à Alemanha, os bôeres foram furiosamente contrários. Os líderes bôeres eram profundamente antibritânicos e muitos, em verdade, preferiam ficar do lado da Alemanha. Vinte e cinco anos antes, no começo da Primeira Guerra, um grupo de africânderes claramente contrário ao governo, à época aliado do Império Britânico, matou mais de 100 membros das tropas oficiais. Mandela resgatou aquela passagem diante de Botha, apontando que mesmo diante de tais fatos, o líder da rebelião havia sido solto após aproximadamente um ano.

O objetivo de Mandela não era apenas mostrar a Botha que ele era um estudioso da história bôer, mas deixar claro que havia paralelos entre a rebelião bôer contra a Grã-Bretanha e a luta do CNA contra o apartheid. Mas ele também tinha astutamente notado que o governo havia libertado os rebeldes após seis meses de sua captura e que ele e seus companheiros estavam na prisão havia mais de duas décadas. Quando Mandela então pediu que Botha libertasse Walter Sisulu – algo que Botha tinha publicamente se recusado a fazer –, o presidente prontamente concordou.

Os bôeres são sem-cerimônia e respeitam a franqueza nos outros. Mandela era sem-cerimônia e cortês, uma combinação que Botha conseguia entender porque era exatamente sua maneira de ser.

* * *

O rúgbi retornou à vida de Mandela quando ele se tornou presidente. Seu dever número um era ser o pai da nação, o patriarca que uniu brancos e negros em uma visão comum. Houve momentos, afirmaram alguns de seus críticos, em que ele parecia passar mais tempo apaziguando os temores brancos do que mitigando a miséria negra. Mas ele sabia que havia um poderoso movimento contrarrevolucionário entre os direitistas bôeres e acreditava que poderia conquistá-los, em lugar de detê-los. E se não conseguisse conquistar a extrema direita, tentaria ao menos conquistar os bôeres do centro, que poderiam, do contrário, ser persuadidos a apoiá-los.

Quando as ameaças à harmonia atingiram o máximo, em 1994 e 1995, Mandela usou uma tática curiosa: recorreu aos esportes como forma de curar a nação. Durante anos o CNA fez tudo que podia para conseguir que os Springboks, o time nacional de rúgbi, fossem banidos das partidas internacionais. E conseguiu. Agora, Mandela procurava levantar a proibição e servir de instrumento para trazer a Copa do Mundo de Rúgbi para a África do Sul. Julgou que esse esporte poderia ser o grande unificador, e não um divisor. Começou uma campanha de sedução para conquistar o mundo do rúgbi. Fez amizade com François Pienaar, o capitão de dois metros de altura dos Springboks, que foi seduzido pelo seu charme. Fez uma série de visitas ao time e abraçou bôeres que, no máximo, eram apolíticos e desconfiavam de um líder negro e da política negra. Um dia antes de os Springboks jogarem contra o time campeão, a Austrália, em maio de 1995, Mandela voou para o seu campo de treinamento para lhes dizer que eles estavam jogando pelo país inteiro e que toda a nação, brancos e negros, os apoiava. Colocou o boné dos Springboks e, como o responsável pelo time disse depois ao jornalista John Carlin, "ele conquistou seus corações".

Em seu mais famoso gesto de reconciliação, Mandela estava usando o uniforme e o boné do Sprinkboks nas finais, no Estádio Ellis Park, em Johannesburgo, em 1995. Quando caminhou, antes do jogo, para cumprimentar o capitão do time, o público, em sua maioria formada por brancos, começou a entoar "Nelson, Nelson!". Foi um dos momentos mais eletrizantes da história do esporte e da política. Tokyo Sexwale, que fora preso com Mandela na Ilha Robben, disse a Carlin: "Aquele foi o momento em que compreendi mais claramente que a luta pela libertação não era tanto libertar os negros da servidão, mas libertar os brancos do medo".

Para Mandela, conhecer o inimigo era não apenas uma tática, mas um ato de empatia. Mandela nunca disse a frase célebre do personagem de quadrinhos Pogo: "Encontramos o inimigo e ele somos nós". Mas ele era tão decidido a conquistá-lo que isso, por si só, causava uma espécie de lealdade a ele. Os bôeres viram o esforço de Mandela – ele tinha feito concessões quando não tinha absolutamente de fazê-las. No fim, os bôeres compreenderam isso e começaram a confiar nele. Ele conquistou seus corações.

E quando você conquista seu inimigo, disse Mandela, nunca se vanglorie disso. O momento do seu maior triunfo é quando você deve ser o mais compassivo. Não os humilhe sob nenhuma circunstância. Deixe-os, na verdade, salvar as aparências. E então você terá transformado seu inimigo em seu amigo.

9

Mantenha

SEUS RIVAIS POR PERTO

ENQUANTO MANDELA com frequência nem prestava atenção em seus amigos, nunca deixava de prestar atenção em seus inimigos. Enquanto muitas vezes perdia contato com seus companheiros, nunca deixou de seguir o rastro dos seus adversários. Você pode confiar nos seus amigos, no sentido de que sabe que eles, *grosso modo*, irão apoiá-lo, e pode confiar em seus inimigos, no sentido de que supõe que eles sempre se oporão a você. Mas seus rivais amistosos são aqueles que você precisa não perder de vista. E Mandela sempre fez isso.

Fez isso discretamente. Não considerava a possibilidade de usar os serviços de inteligência ou detetives particulares para espionar seus rivais. Ele sabia que a melhor maneira de fazer isso não era de longe, mas bem de perto. De fato, quando estavam juntos em uma sala, ele em geral convidava seu rival para se aproximar e se sentar ao seu lado – muito melhor para vigiá-lo.

Traçar os movimentos dos seus rivais é um exemplo do quão meticulosamente Mandela se prepara. Somos, em algumas situações, impelidos a esperar o inesperado, a nos preparar para o resultado menos provável. Mandela dizia que precisamos nos esforçar mais para esperar o *esperado*, que com frequência não nos preparamos para o que sabemos ser provável acontecer. Para ele, uma dessas situações era um rival que o desafiasse.

Mandela era quase sempre o centro das atenções em qualquer sala em que estivesse e gostava disso. Sua atitude era a de um homem cuja imagem está em uma moeda – orgulhoso, confiante, o queixo levantado. Quando estava cortejando, olhava nos olhos do interlocutor e tentava conquistá-lo. Mas quando as luzes não estavam sobre ele, você podia vê-lo observando e avaliando os outros. Seus olhos não estavam sobre seus amigos, mas sobre aqueles que considerava rivais ou rivais em potencial. Ele observava seu estilo, seu modo de falar, mesmo a sua maneira de apertar as mãos. Certa vez ele me contou que um membro do seu gabinete não o olhava nos olhos quando o cumprimentava e que isso não era um bom sinal.

Mandela, diferentemente de outros políticos e líderes, nunca transformou a lealdade em Deus. Ele contava com ela e ficava desapontado quando ela não ocorria, mas sabia que a lealdade na política e na vida era geralmente circunstancial. Não havia algo como lealdade absoluta. A lealdade era em grande parte de interesse próprio, e ele queria fazer seus rivais pensarem que era do interesse deles ser leal – ou, ao menos, dar-lhes menos espaço para para que fossem desleais.

Apesar da sua vigilância, Mandela nem sempre foi um bom juiz de caráter. Seu compromisso em ver o que há de bom nos outros significava que às vezes era incapaz de ver seu lado sombrio. Era também suscetível à bajulação, ao *glamour* e à riqueza. Mas tinha um olho para a fragilidade humana e estava sempre vigiando aqueles que tomavam decisões impulsivas e emocionais em lugar de bem pensadas, provavelmente porque havia sido ele mesmo daquele jeito quando jovem. O jovem Mandela foi uma ameaça à liderança mais velha do CNA. Então vigiava tais indivíduos, tendo em mente que eles tinham potencial para minar seu poder e frustrar seus planos.

De fato, as tensões entre a velha e a nova guarda do Congresso Nacional Africano ficaram evidentes tão logo Mandela saiu da prisão. Ele viu que havia dois campos: os linha-dura e os conciliadores. A divisão era geracional, com os líderes mais jovens sendo mais agressivos e confrontadores que aqueles da geração de Mandela. Um desses jovens líderes era Bantu Holomisa, o general que em 1987 liderou um golpe militar e assumiu a liderança em Transkei. Holomisa tinha quase quarenta anos, embora parecesse mais jovem, e era um homem atarracado com um sorriso cativante e uma risada aguda. Para mim, era uma combinação curiosa de líder tradicional e revolucionário – ambicioso e de cabeça quente, suscetível aos argumentos da esquerda, e considerava Mandela muito propenso à conciliação, alguém que confiava muito no governo. Mandela julgava Holomisa vulnerável às influências malignas.

Quando estávamos em Transkei, Mandela sempre queria Holomisa por perto. "Onde está Bantu?", ele perguntava. "Onde está o general?" Quando Holomisa entrava na sala de Mandela, ele dava uma palmadinha na cadeira ao seu lado e dizia: "Ah, general, venha se sentar perto de mim". Segurava as mãos de Holomisa, uma tradição entre os homens africanos, mas que Mandela não seguia com frequência. Publicamente tratava Holomisa como um filho – e muito melhor que seus próprios filhos, com quem era bem reservado.

Em particular, Mandela contou-me que Holomisa era um canhão solto que precisava ser monitorado. E isso era precisamente o que Mandela fazia. Não fazia um movimento em Transkei sem convidá-lo. Holomisa adorava isso. A ideia era cooptá-lo, ao fazê-lo se sentir importante e indispensável e, realmente, Holomisa parecia expandir de prazer e orgulho quando Mandela segurava sua mão ou colocava o braço ao redor dele. Ele muitas vezes me perguntou: "O velho parece feliz?", e brilhava quando eu dizia que sim. Assim como agradamos às pessoas quando lhes pedimos favores, em vez de fazê-los, Mandela agradava Holomisa ao aparentar ser dependente dele. Holomisa, como resultado, sentia-se mais leal ao velho.

Mandela tratou Chris Hani quase exatamente da mesma maneira e pelas idênticas razões. Antes do seu assassinato, Hani era um dos jovens líderes mais populares na África do Sul, precisamente porque era muito agressivo e impetuoso. Havia incontáveis milhões de negros na África do Sul para quem a vingança tinha mais apelo que a reconciliação – não podiam e não queriam esquecer o passado, como Mandela os exortava a fazer. Mandela estava lhes pedindo que mostrassem a outra face, que fossem pacientes e indulgentes. Isso não é fácil para ninguém, muito menos milhões de pessoas privadas de direitos que suportaram uma bota em seus pescoços durante gerações.

Mandela via em Hani a mesma fúria e impaciência que ele próprio sentira quando era um jovem líder e estava cauteloso. Em lugar de afastar Hani, ele o manteve por perto. Quando estávamos em Johannesburgo, Mandela sempre pedia aos seus assistentes que incluíssem Hani nas reuniões ou viagens, particularmente nas cerimônias. Ele mantinha Hani por perto, segurava sua mão como fazia com Holomisa. Em parte, era para cuidar dele, mas em parte era uma sagaz encenação política, não muito diferente de quando um protagonista veterano de Hollywood deixa um jovem ator ao seu lado para tornar-se ele próprio mais relevante e contemporâneo.

Lembro-me de uma vez estar sentado ao lado de Hani enquanto Mandela fazia um discurso fora de Johannesburgo. Mandela contou a história de como tinha procurado alguns "industriais *top*" da África do Sul – parecia muito orgulhoso de ter tido acesso a eles – e tinha lhes pedido dinheiro para o CNA. Contou aos seus ouvintes que "não queria deixar seus escritórios sem um cheque", e então acrescentou: "Não fiquei desapontado". Essa era uma anedota que contava com frequência na época, mas enquanto imaginava que ela ilustrava como os homens de negócios brancos estavam tentando ajudar a luta, a reação do público era de que ele estava ameaçando os homens de negócios de uma forma que parecia próxima da chantagem política.

Inclinei-me para Hani e disse que não achava que a anedota estivesse tendo muito êxito. Ele concordou. Tinha obviamente pensado o mesmo. "Talvez você devesse mencionar isso a ele", eu disse. Ele sorriu, olhou para mim diretamente e respondeu: "Por que não você?". Hani relutava em dizer qualquer coisa desencorajadora para Mandela; era como o filho intimidado que não quer confrontar o pai. Mas, no fim, isso era o que preocupava Mandela – ele ficava mais confortável com aqueles que o confrontavam do que com os que escondiam seus sentimentos.

O que Hani e Holomisa tinham em comum não é que fossem ativamente desleais, mas eram "imaturos", tomavam decisões baseadas no "sangue", em vez de na "cabeça". Mandela via essa imaturidade como um sintoma de insegurança. Esses homens, segundo sua concepção, sofriam de falta de confiança. Eram imprevisíveis, perigosos, difíceis de confiar. Para Mandela, havia deslealdade ativa e então havia imprevisibilidade. Os dois não são o mesmo, mas se sobrepõem, porque o homem emocional tem mais probabilidade de se tornar desleal, de cometer um erro de julgamento. Não havia maneira de reparar essa insegurança – devia-se simplesmente tomar precauções.

* * *

As únicas pessoas que já ouvi Mandela depreciar de uma forma que revelasse sua própria raiva e rancor foram F. W. de Klerk e o líder zulu Mangosuthu Buthelezi. Enquanto de Klerk ficava na categoria do inimigo que poderia se tornar um aliado, Buthelezi era um aliado ostensivo que poderia se tornar um inimigo. Era um claro rival de Mandela pela liderança da África do Sul – um rival que ele considerava disposto a levar o país à guerra civil, a fim de atingir seus próprios fins.

A determinação de Mandela de ver o que há de bom nos outros não se estendia a Buthelezi. Nunca o ouvi elogiar o chefe zulu. Considerava-o volúvel e indigno de confiança. Queixou-se de que Buthelezi negociou um compromisso de homem para homem, apertaram-se as mãos e então ele recuou nas suas promessas.

Certa vez, durante uma conferência multipartidária em 1991, Mandela avistou Buthelezi com o jovem rei zulu no outro lado da sala. Mandela atravessou a sala para cumprimentar o rei, mas este – devido à insistência de Buthelezi, de acordo com Mandela – não lhe estendeu a mão. "Ele deve ter ficado com um pouco de remorso, porque depois enviou um emissário que disse que o rei não cumprimentava plebeus. Mas a seguir eu vi o rei apertar a mão de de Klerk. Acho que é somente com plebeus negros que ele não troca cumprimentos", Mandela disse com um sorriso.

Dada sua clara repugnância por Buthelezi, para alguns foi uma surpresa quando Mandela o convidou para o seu primeiro gabinete, como ministro do Interior. Mas, como me explicou, havia feito isso precisamente porque considerava o líder zulu tão perigoso que precisava "manter o olho nele". E que lugar melhor para fazê-lo que em seu próprio gabinete? Embora Mandela não fosse sempre um grande ator, no dia da coletiva de imprensa para anunciar a indicação de Buthelezi agiu como se o líder zulu fosse um verdadeiro homem de Estado.

Mandela sabia que não havia método infalível de antecipar os ataques dos seus rivais, mas acreditava que ao manter um rival debaixo das suas asas faria com que ele, ao menos, pensasse duas vezes. E então ficaria perto o suficiente para vê-lo se aproximar.

10

Saiba

QUANDO DIZER NÃO

NELSON MANDELA NÃO É um homem de "talvez". Pode ficar quieto. Pode ser evasivo. Às vezes, irá se atrasar, adiar e tentar evitá-lo. Mas, no fim, não irá lhe dizer o que você quer ouvir só porque você deseja.

Mesmo que ele tenha um instinto quase sobrenatural para agradar, mesmo que odeie desapontar as pessoas, Nelson Mandela é totalmente adepto do dizer "não". Há momentos em que ele dirá "deixe-me pensar sobre isso", mas quando sabe que a resposta é "não", ele a diz. Isso não é tão fácil ou simples quanto parece. Esquecemos que "não" é uma sentença completa.

Ele não gosta de dizer isso, e pode-se vê-lo lutando para dizê-lo de modo cortês. Sabe que o preço de não dizer o "não" agora torna ainda mais difícil dizê-lo depois. Melhor desapontar alguém logo. E ele não vai abrandar ou impingir o custo disso sobre outra pessoa. Quando diz não, quer ser claro e definitivo. Não oferece falsas esperanças ou deixa a porta somente um pouco aberta.

Há uma fotografia famosa dele com Walter Sisulu na Ilha Robben, na qual Mandela está olhando para baixo e distante de Walter, mas apontando com seu dedo. É como ele diz não – desvia o olhar por um momento para explicar e então olha nos seus olhos e diz: "Desculpe, mas a resposta é não".

Ele falou muitos grandes e resolutos "nãos" em sua vida política. Quando jovem, disse não à participação de comunistas na Liga da Juventude do CNA. Disse não para a ideia de esconder seus atos revolucionários, no Julgamento de Rivonia. Disse um gigantesco não ao presidente de Klerk quando julgou que ele estava tentando preservar a dominância branca no governo. Em todos esses casos, o "não" representou o princípio mais importante; fora isso, quase todo o resto poderia ser um "sim" ou ser negociado. E ele sabia que era sempre possível mudar de ideia.

Várias vezes fui o receptor do "não" de Mandela. Houve muitas ocasiões, nas quais perguntei se poderia ir a uma reunião, ou a uma viagem, ou acompanhá-lo a um jantar. Perguntava-lhe diretamente e algumas vezes ele apenas dizia: "Sim, venha comigo". Se a resposta era não, nunca era vago. Nunca dizia "vou dar um retorno" ou "preciso perguntar para fulano ou sicrano". Respondia, muito rápida e claramente: "Richard, não é uma boa ideia", ou "Desculpe, mas não será possível". Não dizia seus "nãos" com falsa simpatia ou desculpas. Nunca dizia "Bem, se não fosse por x, a resposta seria sim" ou "Normalmente, gostaria que você fizesse isso, mas...". Apresentar uma desculpa apenas dá à outra pessoa motivo para discussão, e ele sabia, devido à sua larga experiência, que as pessoas lidam melhor com um firme "não" do que com um "não" ambíguo.

Ao mesmo tempo, não dizia o "não" quando não tinha de dizer. Era estratégico em relação às suas "negativas". Por que desperdiçar um "não" quando você não precisa dizer "não"? Por que ser rude quando não é preciso? Certa vez, ele tinha acabado de retornar de uma viagem às montanhas de Montreux. Contou-me que tivera uma viagem produtiva. Perguntei-lhe se havia gostado das montanhas. Ele fez uma pausa durante um momento. "Não as detesto", respondeu.

Essa resposta é muito típica de Mandela. Não havia nada a ganhar dizendo que não havia gostado das montanhas, então por que dizer isso? Alguns eleitores adoram as montanhas, então por que se indispor desnecessariamente com eles? É por isso que ele nunca escolhia um time para torcer. Você apenas se indispõe com os fãs que torcem pelo outro time. Se não era uma pergunta direta e ele não precisava responder, geralmente não a respondia.

Em geral, ficava aliviado em não ter de dizer "não". Quando estávamos nos aproximando do fim do processo de entrevistas para suas memórias, ele estava sob muita pressão de seus companheiros e da liderança do CNA para fazer campanha e negociar em tempo integral, sem qualquer distração. Disse-me que precisávamos nos apressar, e perto do fim marcamos duas sessões por dia, uma no começo da manhã e outra à tarde.

Certo dia, disse-lhe que precisava conversar com ele seriamente. Vi que isso o deixou alerta e ele ficou circunspecto. Estávamos sentados um diante do outro em idênticas poltronas na sala ensolarada da sua casa em Houghton. Quando comecei a falar, ele assumiu sua face negociadora: neutra, solene, quase impossível de decifrar. Disse-lhe que éramos como dois montanhistas perto do cume de um grande pico. Poderia ainda parecer longe, mas se nos virássemos e olhássemos para trás, veríamos a grande distância que tínhamos percorrido e o quão perto realmente estávamos do objetivo. Ele balançou a cabeça, sem nenhuma expressão. Então eu falei: "Aqui está a minha proposta. Fazemos mais dez horas de entrevistas, as últimas cinco sobre a sua vida desde a libertação".

No instante em que terminei, ele suspirou profundamente, pensou por um momento e então disse apenas: "Sim, muito bem". Parecia aliviado. Sei que eu estava.

Uma semana depois, quando tentei discutir a respeito de algumas horas extras, ele balançou o dedo e disse não.

Durante toda a sua vida, Mandela teve de tomar decisões sobre quando agir ou não, quando avançar e quando abandonar a posição. Tendo passado tantos anos na prisão, onde tinha um poder limitado para influir nas situações, sabia que muitas delas se resolvem por si mesmas. Existem algumas decisões que podem se beneficiar por causa da demora – se você decide que este é o caso, então, tudo bem, não se preocupe com isso. Mas se você está demorando ou evitando dizer "não" porque é desagradável, melhor dizê-lo na hora e claramente. Você evitará vários problemas a longo prazo.

11

É UM JOGO demorado

VINTE E SETE ANOS NA PRISÃO ensinam muitas coisas, e uma delas é pensar a longo prazo. Quando jovem, Mandela era impaciente: queria a mudança para ontem. A prisão o ensinou a ir mais devagar e reforçou seu sentimento de que a pressa com frequência leva ao erro e ao mau julgamento. Acima de tudo, aprendeu como adiar a gratificação – sua vida toda personifica isso.

Muitos de nós estamos acostumados ao oposto. Porque nossa cultura recompensa a velocidade, vemos a impaciência como uma virtude. Confundimos gratificação instantânea com expressão própria. Tentamos agarrar a oportunidade no momento em que ela se apresenta, responder a todo *tweet* ou mensagem sem parar para pensar. Mas ele dizia que não devemos deixar a ilusão da urgência nos forçar a tomar decisões antes de estarmos prontos. É verdade que existem momentos em que podemos perder uma oportunidade se não agirmos rapidamente. Mas existem também muitas ocasiões nas quais podemos fazer um negócio melhor ou um trabalho melhor se agirmos mais devagar e pensarmos a longo prazo. Melhor ser lento e ponderado do que rápido apenas para parecer decisivo.

No caso de Mandela, ele sabia que a história não é feita da noite para o dia e que ninguém a dobra com as próprias mãos. O racismo e a repressão foram incubados ao longo de milênios, o colonialismo se desenvolveu ao longo de séculos, o apartheid foi criado ao longo de décadas, e nada disso seria erradicado em poucos meses ou mesmo anos. O homem que foi para a prisão era impaciente por um futuro imaginado. Para ele, os velhos comandando o CNA nunca pareciam fazer nada rápido o bastante ou com a urgência necessária. Eles tinham muito para proteger – haviam investido muito no *status quo*. Na prisão, ele se tornou um desses velhos, mas compreendeu que ser cauteloso não significava que não se podia ser radical ou corajoso. Não é a velocidade da decisão, mas a sua direção. Não é a rapidez que torna alguém corajoso. De fato, assumir a visão a longo prazo com frequência exige estar disposto a mudar ideias acalentadas ou profundamente arraigadas havia muito tempo.

Quando ele estava na Ilha Robben, os jovens prisioneiros muitas vezes achavam que ele não estava agindo rápido o bastante ou desafiando as autoridades com força suficiente. Quando ele lhes dizia para não forçar uma questão, quando discutia com eles a respeito de uma política que fosse a longo prazo, perguntavam: “E que tal agora?”.

“Vejam, vocês podem ter razão por alguns dias, semanas, meses e anos”, ele respondia, “mas a longo prazo irão colher algo mais valioso se assumirem uma visão de longo alcance.”

A *longo prazo.* Essa é uma expressão que ele usa com frequência. É como pensa, essa é a distância na qual sua mente trabalha melhor. Ele não é rápido ou descuidado, gosta de marinar as ideias. Se todo mundo tem uma distância natural – *sprint*, distância média, longa distância –, Mandela é um corredor de longa distância, um *pensador* de longa distância. E a prisão foi uma maratona.

Quando estávamos conversando sobre uma questão ou um problema, ele às vezes dizia: “Será melhor a longo prazo”. Sim, ele é um otimista, mas um otimista extremamente realista e cauteloso. Não é sentimental e não tem esperança quando as evidências estão em campo oposto ao seu. Ao longo de todos aqueles anos sombrios não acreditou em milagres. Milagres, se existiam, eram feitos pelo homem – era o trabalho duro e a disciplina que o ajudavam a impelir as coisas em sua própria direção. Você não podia contar com a sorte ou a intervenção divina.

Assim que se tornou presidente, sabia que seu principal objetivo era criar uma nova nação. Isso não significava não se dedicar a problemas urgentes ou imediatos. Ele sabia que não se dedicar a problemas imediatos não trará a oportunidade de se dedicar a problemas mais extensos. Mas, essencialmente, mantinha o olho em um objetivo mais distante. E estava determinado a que seus objetivos a curto e longo prazos apontassem para a mesma direção. Muitas vezes falava sobre manter "o quadro total" em mente e quase sempre o mantinha. Na verdade, o que costumava irritá-lo eram os problemas a curto prazo, lombadas no caminho para os seus objetivos a longo prazo. Em geral esses problemas a curto prazo eram criados por pensadores de curto prazo, guiados pelas manchetes do momento ou do dia. Mandela olhava para o horizonte.

Quando saiu da prisão, percebeu imediatamente que haviam ocorrido enormes avanços na tecnologia. A televisão não existia na África do Sul quando ele foi preso, muito menos o ciclo de notícias 24 horas na TV a cabo. Em sua primeira coletiva de imprensa, abaixou-se quando as equipes esticaram seus longos microfones *boom*, que para ele pareciam armas. Estava espantado e encantado com que se pudesse fazer telefonemas em um avião. Mas com essas mudanças veio um ritmo de vida radicalmente diferente, e esse novo ritmo não era o seu. Ele não acreditava que era necessário ou desejável reagir a toda pequena mudança de uma reportagem. Isso, em si, com frequência causava problemas. Ele sabia que um equívoco precipitado, de curto prazo, poderia ter consequências a longo prazo.

Mandela pensava em termos de história. A história, por definição, *é* a longo prazo. Ele sabia que devia tentar influenciá-la, mas que apenas um indivíduo não fazia grande diferença. Se estivesse respondendo àquela velha charada filosófica – "A história faz o homem ou o homem faz a história?" –, ele diria que a história faz o homem, que grandes forças conspiram para criar grandes líderes. Sim, um indivíduo tem de ter o DNA certo e as habilidades certas, mas o momento faz o homem – porque somente então o homem se apresenta e alcança o momento. Ele dizia que havia se apresentado para a ocasião, mas sabia que não havia *criado* a ocasião.

"Ele é um homem da história", diz Cyril Ramaphosa, o líder e ativista mais próximo de Mandela quando este saiu da prisão. "Estava pensando à nossa frente. Tem a posteridade em mente. Como vão ver o que fizemos? E a história o absolveu. Acabou acontecendo exatamente como imaginou que aconteceria."

Mandela acreditava que os líderes são julgados em sua totalidade, pelo arco de suas vidas. Ele julgava os homens por suas vidas e carreiras inteiras, não pela maneira como reagiram em uma situação específica. Muitas vezes falava sobre os líderes que não tinham atuado bem na prisão. "*Ja*, conheço um monte de gente, sujeitos muito capazes que foram um desapontamento real na prisão. Você tinha de lutar, combater, dizer 'vamos resistir quanto a essa questão'. Eles não concordavam. '*Nel*, eles vão matá-lo'." E enquanto estava desapontado com eles, essa não era uma deficiência fatal, porque se tinha de julgar um homem o faria por sua vida inteira. Houve homens que foram heroicos fora da prisão, mas não dentro dela, e vice-versa. Dos que foram um desapontamento na prisão, ele disse: "Eram homens de integridade, de honra, apesar da fraqueza que mostraram". Isso evidencia sua generosidade e sua visão ampla. Ninguém é tão nobre quanto as melhores coisas que tenha feito ou tão venal quanto as piores. Em seu próprio caso, ele sabe que o bem tem mais importância que o mal, e isso é o que essencialmente conta. Mas ele tomou decisões das quais se lamenta. Cada pessoa é a soma de tudo o que fez.

Certa vez perguntei a Mandela se era feliz. Ele franziu o cenho. É o tipo de questão que considera superficial e indiscreta – uma combinação que não é boa. Mas, no fim, começou a falar. Contou como seu pai tinha morrido muito cedo e, principalmente, em desalento. Falou sobre como sua mãe tinha morrido pensando que o filho dela era um prisioneiro, talvez um criminoso. Uma de suas grandes tristezas é nunca ter ajudado sua mãe a entender a luta. Aludiu aos desafios enfrentados por suas próprias filhas. E então mencionou os antigos escritores gregos que tinha lido e apreciado na prisão. Eles tinham a visão a longo prazo. Não conseguia se lembrar de qual era o escritor, mas ele disse que havia a história de Creso, perguntando a um sábio se ele podia ser considerado feliz. E o sábio respondeu: "Não considere nenhum homem feliz até que você conheça o fim dele". Ele concordava, e isso é, em parte, o que o tornou tão prudente e tão cauteloso. Tudo pode mudar no último capítulo, e você precisa permanecer no caminho para evitar que algo desagradável aconteça.

Mandela é, de fato, feliz. Teve uma tragédia terrível em sua vida, mas agora conhece seu próprio propósito e sabe que se manteve fiel a ele – e que a história irá julgá-lo benignamente. Considere-o feliz.

12

O AMOR FAZ A diferença

QUANTO SE TRATA DE AMOR, Mandela é um romântico. Mas um romântico pragmático. Tinha de ser.

Durante grande parte de sua vida, o amor foi algo distante, existindo mais em sua imaginação e em sua memória que na realidade. E quando era uma realidade, muitas vezes era uma fonte de dor em vez de conforto. No entanto, nunca desistiu da ideia de que o amor estaria em sua vida.

A natureza da era do apartheid na África do Sul o impossibilitou de ter uma vida pública e uma vida privada simultaneamente. Sua vida pública o colocou na prisão por 27 anos, onde não tinha vida privada e havia poucos consolos. Parte da natureza diabólica do apartheid era forçar os negros sul-africanos a separar trabalho e família. Foi bem-sucedido no caso de Mandela – não porque ele, como muitos outros, foi forçado a trabalhar na cidade enquanto sua família estava em uma área tribal, mas porque era impossível lutar pela liberdade e viver livremente ao mesmo tempo.

Ainda antes de ir para a prisão, foi forçado a se tornar um estranho para sua esposa e seus filhos. Se você lutava pela liberdade, sua família era um alvo – atingi-los era o modo mais eficaz do regime para feri-lo. Então, ele ficou longe de sua esposa e de sua família, observando-os, impotente, serem perseguidos e atormentados. O sofrimento deles fez com que questionasse os próprios laços que deviam ser uma fonte de apoio. A família o tornava mais vulnerável, não menos. Raras vezes conseguia desempenhar o papel de um pai convencional. Certa feita seu filho mais velho perguntou-lhe por que ele nunca podia passar a noite em casa e ele respondeu que havia milhões de outras crianças sul-africanas que precisavam dele também. É uma coisa terrível para dizer ao próprio filho e, em muitos aspectos, esse sacrifício foi a maior dor que ele conheceu.

Durante seus anos na prisão, o amor estava em todo lugar: nas suas cartas, em sua memória, em um futuro imaginário. Eddie Daniels, que passou anos com Mandela na Ilha Robben, contou-me que na prisão não havia ninguém para consolá-lo. Com isso Eddie queria dizer que os prisioneiros eram um grupo bem pouco sentimental e que não havia mulheres na prisão. Nas minhas leituras sobre a Ilha Robben, me deparei com a ocorrência de uma série de ataques sexuais. À luz disso, perguntei a Mandela sobre o papel que a sexualidade desempenhava na prisão. Sua resposta foi curta: "Não tínhamos possibilidade de expressão sexual na prisão". Fim de conversa.

Mas Mandela tinha um sonho de amor e vida em família que o alimentava mesmo quando a realidade era árida. Durante todos os anos em que passou preso, acalentou esse sonho e, quando saiu, ele se revelou uma miragem. Mesmo então, não renunciou a ele. No fim seria recompensado, depois de quase ter perdido a esperança. Mas levou muitos, muitos anos.

* * *

Foi o desejo de Mandela pelo amor romântico, em vez de seu ódio pela injustiça, que primeiro o levou a fugir do conforto do interior para a cidade grande. Quando o rei Jongintaba decidiu que era hora de arranjar casamentos para o seu filho Justice e para Nelson, os dois jovens tramaram um esquema para fugir para Johannesburgo. Não foi tanto por considerar feias as mulheres arranjadas para eles, mas acreditavam com devoção que tinham o direito de escolhê-las por si mesmos. Foi irônico que a mesma educação que o rei tornara possível a Mandela o tivesse feito se virar contra os costumes tribais tradicionais de casamento e família. No internato Metodista Healdtown e em Fort Hare ele leu Jane Austen e os sonetos de Shakespeare, e foi ali que começou a abraçar uma visão mais ocidental e romântica do amor do que aquela que conhecera quando garoto.

Seu pai teve quatro esposas, que visitava em rodízio. Mandela queria amor, não uma criada.

Foi em Johannesburgo que teve seus primeiros encontros românticos. Teve uma queda pela filha da família que o hospedava, no distrito de Alexandra. O nome dela era Didi. "Era muito bonita", ele me contou. Era empregada doméstica – uma das poucas ocupações disponíveis na cidade para uma jovem negra – e tinha um namorado rico que usava ternos jaquetão, chapéu Borsalino e dirigia um carro bacana. Mandela se apaixonou por ela, mas estava muito inseguro até para contar-lhe. Afinal, ele dificilmente seria um bom partido: morava em um barraco nos fundos da pequena propriedade deles, seu inglês era ruim, tinha apenas um conjunto de roupas e pouco dinheiro.

Certa vez, foi convidado para comer com a família e eles puseram um pedaço de frango no seu prato. Como um jovem do interior, ele ainda não estava acostumado a usar talheres e, em lugar de pegar com as mãos ou lutar com o garfo e a faca, revelando sua falta de sofisticação, optou por não comer. O orgulho triunfava sobre a fome. O mesmo ocorreu em relação a Didi . Ele disse que a teria pedido em casamento, mas não queria fazer a proposta a uma mulher que poderia não aceitá-lo.

Quando Mandela era estudante de direito, Walter Sisulu o apresentou à sua prima, uma mulher de Transkei quieta e modesta chamada Evelyn Mase. Mandela e Evelyn se casaram, rapidamente tiveram quatro filhos (um dos quais morreu aos nove meses) e viviam em uma casa minúscula em Soweto. Dividido entre seu trabalho, seus estudos e o lançamento da sua carreira política, era, na maioria das vezes, um marido e um pai ausente. Consequentemente, quando ficou mais comprometido com a luta pela liberdade, afastou-se de Evelyn. Enquanto obtia algum sucesso seduzindo os negros para sua causa, não conseguia fazer o mesmo em relação a sua esposa. Ela não queria ouvir sobre política e abrigou-se em um mundo diferente, tornando-se testemunha de Jeová e passando grande parte do dia lendo a Bíblia. Logo se separaram.

Na época do início do Julgamento por Traição, em 1956, Mandela tinha se tornado um advogado bem-sucedido e *bon vivant*. Era um sujeito vistoso que lutava pela liberdade e tinha se transformado em uma daquelas pessoas que costumava causar inveja: vestia ternos risca de giz, dirigia um carrão americano e gostava de frequentar restaurantes. Era sedutor naqueles dias, e não negava isso. Certa vez mostrei uma foto sua daquele tempo, vestindo um terno bacana e segurando um cigarro. Perguntei-lhe se fumava.

"Não, homem", ele disse, com um sorriso arrependido. "Estava apenas bancando o bobo."

* * *

Uma manhã, estávamos caminhando nos morros perto da casa de Mandela, em Transkei, e ele se virou para mim e perguntou se eu era casado. Isso era incomum, porque ele raramente fazia perguntas pessoais.

Respondi-lhe que não.

"Ah", ele disse.

Contei-lhe que tinha recentemente encontrado uma fotógrafa sul-africana chamada Mary, por quem estava interessado. Ficamos ambos em silêncio por um momento.

Então perguntei-lhe: "Quanto tempo você tem de conhecer alguém antes de se casar?".

"Um dia", ele disse e sorriu. "Um dia pode ser tempo suficiente."

Devo ter parecido confuso, porque ele começou a elaborar. "Você pode amar uma mulher à primeira vista", ele disse, "mas o amor pode levar um ano ou mais para se concretizar." Então, começou a definir as diferentes categorias de atração. "Você pode ver uma mulher em um debate e ficar impressionado com o intelecto dela, mas a sua emoção não está comprometida. E você pode ver uma mulher e ficar interessado em um nível superficial." Com o que ele queria dizer atração física.

"Não há uma regra única", ele falou, "mas o amor é a coisa mais importante."

Um dia pode ser tempo suficiente. Parece que foi tempo suficiente para que Mandela se apaixonasse por sua segunda esposa. A primeira vez que viu Winnie, ele conta, foi de dentro do seu carro, enquanto ela esperava em um ponto de ônibus para ir ao hospital onde trabalhava como enfermeira. O ano era 1957. Ele a achou bonita e não conseguia tirar sua imagem da cabeça. Poucos dias depois ela se materializou em seu escritório de advocacia, perguntando sobre um caso. Foi um milagre, ele pensou – um pouco de acaso cósmico.

O Nelson Mandela e a Winnie Madikizela daquele tempo eram muito diferentes dos dois que viemos a conhecer. Ela era uma jovem de 22 anos vinda do interior, quieta, reservada, sem sofisticação; ele era dezesseis anos mais velho – um pai divorciado com três filhos, um advogado bem-sucedido e alguém admirado por sua luta pela liberdade. Ela ficou estupefata e emocionada com a atenção dele, e na maior parte do tempo ficava quieta quando em sua companhia. Ele a levou para um almoço (ela nunca tinha experimentado comida indiana antes e bebeu seguidos copos de água para aliviar o ardor da boca), para um passeio em seu carro e para uma caminhada no interior.

Em certos aspectos, foi uma corte em estilo ocidental, mas não a proposta de casamento. Um dia ele simplesmente lhe contou quais eram as providências para o seu vestido de casamento. Ele já tinha consultado uma costureira. De fato, ele admite que nunca a pediu formalmente em casamento, e ela várias vezes fez piada sobre nunca ter tido a chance de dizer "sim".

No casamento de Mandela e Winnie, que ocorreu durante um recesso de seis dias do Julgamento por Traição, em 1958, o pai dela fez um discurso no qual disse que sua filha estava se casando com um "prisioneiro" – um homem que já estava casado com a luta. Era um gracejo, mas o assunto era delicado. Para a família burguesa de Winnie, Mandela era um marido que oferecia riscos e estava longe de ser o ideal para sua filha. Na realidade, Nelson e Winnie nunca tiveram um casamento convencional. Quase imediatamente após o casamento, Mandela foi para a clandestinidade. Daquele momento em diante, seus encontros ocasionais tinham o caráter de encontros amorosos, tinham de ser planejados com antecedência, e nessa ocasiões era necessária segurança máxima.

Como os pais dela temiam, o casamento colocou a vida de Winnie inteiramente em outro caminho. Mandela relembra que, quando estavam namorando, ele não estava apenas sendo romântico com ela, mas ensinando-lhe política. Ele fez bem o seu trabalho. Mesmo antes de Mandela ir para a prisão, Winnie tinha se tornado uma ativista; e enquanto ele estava preso, ela se tornou uma exaltada "mãe da nação", um símbolo da luta pela qual seu marido estava atrás das grades.

De forma curiosa, o amor e a dependência de Mandela por Winnie se aprofundaram enquanto ele esteve na prisão. Seu afastamento dela – e do mundo – elevou-a a uma espécie de *status* idealizado. Ele se apaixonou novamente pela ideia da união deles. Isso foi parte do que o manteve firme – a ideia de que um dia se reuniriam e que ele poderia tentar ser o marido que não conseguira ser antes da prisão. Ele mantinha um retrato dela em sua cela e certa vez lhe escreveu: "A sua linda foto ainda está a sessenta centímetros do meu ombro esquerdo, enquanto escrevo esta nota. Tiro o pó dela, cuidadosamente, toda manhã, porque fazer isso me dá o sentimento agradável de que a estou acariciando, como nos velhos tempos. Até toco o seu nariz com o meu, para sentir a corrente elétrica que costumava fluir por meu sangue sempre que fazia isso".

Ele aguardava suas visitas por meses e ficava aniquilado quando ela não podia vir ou quando as autoridades da prisão as cancelavam. Mandela mostrou muito mais emoção nas cartas a ela do que já revelara na prisão, mesmo que essas cartas fossem lidas e, às vezes, censuradas pelas autoridades carcerárias. Em agosto de 1970, em uma época particularmente difícil – a própria Winnie estava na prisão e ele estava em dúvida sobre quem estava cuidando das filhas deles –, ele sofria muito e disse-lhe isso em suas correspondências:

> As misérias que temos colhido das dolorosas frustrações dos últimos quinze meses não têm probabilidade de desaparecer com facilidade da mente. Sinto-me como se tivesse sido mergulhado na tristeza, cada parte de mim, a carne do meu corpo e da minha alma, tão amargurado por estar completamente impotente para ajudá-la [...] as provações pelas quais você está passando [...] se ao menos pudéssemos nos encontrar, se pudesse estar ao seu lado e abraçá-la, ou se pudesse ter um vislumbre da sua silhueta através da grossa cerca de arame que inevitavelmente nos separa. O sofrimento físico não é nada comparado ao esmagamento desses ternos laços de afeição.

A única coisa que podia lhe fazer perder a cabeça era um insulto contra sua esposa. Os guardas sabiam disso e ocasionalmente deixavam *clippings* de notícias na sua cama sobre Winnie estar presa ou ligada a outro homem. Para as autoridades, Winnie e a família dele eram seu calcanhar de aquiles. Mandela relembrou como ele quase atacou um guarda que tinha dito algo ofensivo a respeito de Winnie. "Havia um superintendente da prisão... que disse algo desfavorável sobre a Winnie e, claro, fiquei muito irritado e perdi a cabeça, e disse-lhe umas coisas lamentáveis e eles me acusaram por isso... quase esmurrei o sujeito. De fato, parei quando estava indo na direção dele e descontei praguejando contra ele. Acho que usei um palavreado bem forte."

Essas provações e reveses poderiam facilmente ter tornado Mandela cínico em relação ao amor e acostumado à sua ausência. Mas o sonho da intimidade é potente e, ao envelhecer, Mandela tornou-se ainda mais romântico.

No entanto, não havia final feliz de livro de histórias para o seu casamento com Winnie. Quando ele saiu da prisão, eles não foram capazes de continuar a partir de onde tinham parado, muitos anos atrás. Para o mundo, Winnie aparentava ser a esposa forte e fiel. Mas, atrás das cortinas, havia grande tensão. Como um dos assistentes de Mandela me contou: "Ninguém esperava que a Winnie fosse fiel por 27 anos. Ela é humana também".

Ninguém queria contar ao velho. Mas ele começou a perguntar aos seus amigos e ficou profundamente magoado ao saber a verdade sobre o comportamento de Winnie. Como sua confidente contou-me a respeito daquela época: “Ela o humilhou. E ele ama aquela mulher. Ela pensou que ele nunca a deixaria, mas ele teve de deixar, pela organização”. Ela estava arruinando a luta pela liberdade *e* o casamento deles: Mandela poderia tolerar um, mas não ambos.

Na época em que comecei a trabalhar com Mandela, ele já estava separado de Winnie. Ela era um tema difícil de ser abordado, e descobri que Mandela ficava mais à vontade para falar da Winnie do passado e menos confortável para falar dela no presente. Um dia, em janeiro, quando ele estava falando a respeito do período em que esteve na prisão, falou sobre ela de maneira mais aberta. Ela havia sofrido mais do que ele, ele relatou. Tinha sido assediada e colocada na prisão pelas autoridades, e durante todo o tempo ainda teve de cuidar dos filhos, o que ele não teve de fazer. O estresse de estar fora da prisão podia ser maior, ele disse, do que o estresse de estar dentro dela. Em certo momento, ela passou mais de um ano na solitária, enquanto ele havia passado apenas algumas noites.

Em um domingo, conversávamos na sala ensolarada da casa dele em Houghton, no subúrbio de Johannesburgo. Ele estava de meias, com os pés sobre uma otomana diante da sua poltrona e estávamos prestes a começar. Nesse momento, a empregada, Miriam, entrou com os jornais dominicais e ele levantou o olhar. Mandela adora jornais. Durante anos e anos foi privado deles na Ilha Robben; então, mesmo hoje, um jornal parece-lhe um presente raro e precioso. Perguntou se me importava que ele desse uma olhada neles antes de iniciarmos. Poucos minutos depois, começou a rir. Havia uma manchete que dizia "Winnie para Presidente" e um artigo sobre alguns comentários que Winnie tinha feito no funeral da ativista antiapartheid Helen Joseph, no qual ela criticava o CNA, e, consequentemente, Mandela, por ser muito acomodado com o governo.

Perguntei-lhe se estava surpreso com o que ela havia dito.

"Tenho estado com a camarada Winnie desde 1958", ele disse, em um tom que misturava afeição e exasperação. "Nada do que ela faça me surpreende. Ela suportou tudo o que o regime lhe causou." Fez uma pausa e então acrescentou: "Mas dar uma declaração que tem chance de dividir a organização, em um momento crítico, é algo que ninguém espera, não importa o quanto esteja rancorosa".

Como os dois comentários revelam, os sentimentos de Mandela em relação a Winnie permanecem confusos e são temperados com desapontamento. Ele é nostálgico quanto aos velhos tempos e realista quanto ao presente. Durante muito tempo, um tipo de trégua armada existiu entre os dois, na qual mantiveram uma formalidade rígida. Mas, em anos recentes, retomaram a amizade afetuosa.

* * *

Com o passar dos meses, Mandela conheceu minha amiga Mary. Na verdade, eles já tinham se encontrado antes, no dia da libertação dele. Ela trabalhava para a agência de notícias France-Presse, e ele se lembrava da fotógrafa ruiva e elegante que tirou uma foto dele quando saiu da prisão. No começo, quando Mary me pegava depois que eu chegava de uma viagem com Mandela, ele implicava com ela: "Você não deve tirar o Richard de nós". Mas, em poucos meses, ele me disse: "Sabe, você deve se casar com ela". Ela me disse depois que, em outra ocasião, ele a chamou de lado, segurou sua mão e disse: "Você deve se casar com o Richard. Dou-lhes a minha bênção". Não era uma ordem, claro, mas ele tinha se tornado uma espécie de padrinho da nossa relação. Foi por causa dele que nos encontramos e ambos sentíamos que ele tinha uma percepção especial do nosso relacionamento. Em certo nível, sentia que ele estava articulando algo que eu sentia, mas que não tinha ainda expressado. Mais tarde, descobri com alegria que Mary se sentia da mesma forma. Mas ele não era tão reservado ou indefinido como éramos. Talvez isso viesse da sua percepção de que tinha perdido muitos anos e muita alegria e não queria que perdêssemos nada.

Sempre foi óbvio o fato de Mandela gostar da companhia de mulheres. Ele mostra-se mais relaxado e franco com mulheres do que com homens – mais feliz, mais despreocupado. Vi isso com a Mary. Quando ela estava conosco, ele também era mais cândido, mais disposto a mostrar seu lado vulnerável. Também é galanteador, mas de uma forma elegante, da velha guarda.

Em 1993 e 1994, estava com frequência acompanhado de uma jovem acupunturista japonesa chamada Chikako.

Ele a havia encontrado em uma viagem ao Japão, quando estava tendo problemas com a perna. A assistente dele, Barbara Masekela, recomendou que fizesse acupuntura para suas pernas inchadas.

"Sabe, estava muito relutante em fazer esse tipo de tratamento", ele disse. "Barbara foi muito insistente. Explicaram-me que era um método tradicional de cura que fora comprovado cientificamente. Então soube que era uma mulher – e jovem. Estou acostumado a médicos – homens, homens mais velhos. Sabe, não gostei da ideia de uma jovem aparecendo no meu quarto de hotel. Finalmente concordei, quando Barbara disse que permaneceria no quarto."

A sua apreensão desapareceu quando se encontrou com Chikako. Era uma pequenina fada em forma de mulher, com um sorriso tímido e modos gentis. Tinha estudado acupuntura clássica e depois passou meses tratando dele na África do Sul. Ela o chamava de "Tata" (a palavra xhosa para pai), era devotada a ele e o acompanhou em Transkei e em viagens ao exterior. Ele a tratava como uma neta.

Mandela gostava de provocá-la. Um dia, nós três estávamos caminhando em Transkei e ela lhe perguntou se o joelho estava incomodando. Ele sorriu e disse que não. "Quando você está perto de mim", ele disse, "não sinto nenhuma dor. É só quando você vai embora que sinto alguma dor." Ela balançou a cabeça e sorriu.

Mandela parecia sempre ter um sexto sentido em relação à solidão dos outros. Ele percebeu que Chikako ficava principalmente sozinha quando não estava com ele e provavelmente com saudades de casa. Certa vez, estávamos todos juntos na véspera de Ano-Novo, em 1993, em um hotel em Durban. Acabamos em uma discoteca ruim, com uma banda tocando música pop das décadas de 1970 e 1980 – músicas que o resto de nós tinha ouvido centenas de vezes, mas que Mandela estava provavelmente ouvindo pela primeira vez. Ele notou que ela estava balançando a cabeça, chamou a minha atenção e fez o sinal universal de um pai dizendo para um filho: convide sua irmã mais nova para dançar. Convidei e, quando voltamos, ele me disse: "Muito bem".

Em outra ocasião, Mandela e eu estávamos tomando café da manhã na sua sala de jantar e Chikako entrou. Ele chamou: "Venha, sente-se aqui, homem" (ele costumava usar "homem" com homens e mulheres). Ele deu um tapinha na cadeira ao lado dele e disse: "Chikako é a única que me ama". Respondi que milhões de pessoas o amavam. Ele sorriu e disse: "Sim, mas Chikako me ama de perto, e aquelas pessoas me amam de longe". Ela riu junto com ele, mas foi um comentário revelador. Mandela realmente se sentia amado, abstratamente, mas tinha poucas pessoas com as quais era íntimo. Aquelas que deviam ter sido as mais próximas – Winnie, alguns de seus filhos – estavam distantes ou alheias. Ele era solitário e sentia que tinha mais uma vez se tornado uma espécie de prisioneiro – dessa feita, isolado pela celebridade e pelo poder.

Foi durante essa mesma época que Mandela estava cortejando a mulher que o ajudaria a compensar os anos perdidos. Graça Machel era a viúva de Samora Machel, o líder revolucionário de Moçambique que morreu em um acidente aéreo em 1986. Ela era uma figura política estimada em Moçambique, uma guerreira dos pobres e destituídos. Então com 48 anos, era afetuosa e estável. Ele a tinha encontrado pela primeira vez em 1990, poucos meses após a sua libertação, quando ele visitou Moçambique, e mantiveram contato depois disso. Após sua separação oficial de Winnie, em 1992, ele começou a cortejá-la. Mesmo que estivessem se apaixonando, ela relutava em casar-se com ele. Em lugar disso, acompanhava-o em viagens e ele a visitava em Moçambique. Em 1993 e 1994 seu relacionamento ainda era secreto, mas ele me contou da sua afeição por ela. Presenciei muitas vezes quando ele estava ao telefone com ela, e ele lhe dizia para trazer um suéter, se estivesse frio, ou trazer um guarda-chuva, se estivesse chovendo.

Mandela se divorciou de Winnie em 1996 e em 1998 tornou público seu romance. “Estou apaixonado por uma mulher extraordinária”, declarou na televisão. “Não lamento os reveses e contratempos, porque no final da minha vida estou vicejando como uma flor, por causa do amor e do apoio que ela me dá.”

Como Graça disse depois que se casaram, no aniversário de oitenta anos de Mandela, em 1998: “Ele pode amar de maneira profunda, mas tenta controlar isso muito bem em sua apresentação pública. Privadamente, permite-se ser um ser humano. Gosta que as pessoas saibam que é feliz”.

Durante toda a sua vida, no cálculo entre o amor e o dever, o dever quase sempre venceu. Há pouco espaço para o amor na vida de um revolucionário e de um prisioneiro. Mas Mandela nunca desistiu do amor, nem mesmo quando ele foi adiado ou estava inacessível. De fato, sua crença no poder do amor ficou mais forte enquanto estava na prisão. Ele me disse certa vez: "Quando você ama uma mulher, não vê seus defeitos. O amor é tudo. Você não presta atenção às coisas que os outros podem achar errado nela. Você apenas a ama".

Essa é a maneira como ele era. Finalmente, aos oitenta anos, encontrou aquele amor e a felicidade com Graça Machel. Foi o final feliz que esteve buscando por meio século.

13

Desistir

TAMBÉM É LIDERAR

EM VÁRIOS ASPECTOS, o maior ato de liderança de Mandela foi a renúncia.

Quando se tornou o primeiro presidente democraticamente eleito de uma África do Sul livre, é provável que, se desejasse, pudesse ter permanecido presidente perpétuo. Teria certamente sido eleito por aclamação para um segundo mandato de cinco anos. Mas ele sabia qual era a sua real tarefa, como disse Cyril Ramaphosa – "estabelecer o caminho, não comandar o navio". Então, em abril de 1995, depois de apenas um ano como presidente, ele observou que, em 1999, teria oitenta anos e que "um octogenário não deveria estar se intrometendo em política". Quando lhe perguntaram se concorreria para um segundo mandato, respondeu que "definitivamente não." E não concorreu. Foi um ato definidor de liderança.

Mandela não foi o primeiro prisioneiro político a se tornar presidente de uma nação africana. De fato, ele era parte de uma tradição africana do século XX. Havia Kenyatta, no Quênia, Nkrumah, em Gana, Mugabe, no Zimbábue. O que a África raras vezes experimentou foi um presidente deixar o cargo voluntariamente – constitucionalmente ou pela vontade do povo. A maioria deixou horizontalmente ou sob a mira de uma AK-47. O contemporâneo de Mandela, o presidente Robert Mugabe, do Zimbábue, ainda está agarrado ao poder, após ter destruído seu próprio país.

Mandela estava determinado a mostrar não somente que os africanos podiam governar a si mesmos, mas que a África podia ser um continente de democracias constitucionais. Ele foi, em muitos sentidos, a representação africana de George Washington, que decidiu servir dois mandatos como primeiro presidente norte-americano e então voluntariamente voltou a ser um cidadão comum. A decisão de Washington de se privar da possibilidade de um mandato perpétuo (o que muitos defendiam) estabeleceu o padrão da presidência norte-americana. Como Washington, Mandela entendeu que seus passos seriam os primeiros na areia e que outros os seguiriam. Sabia que seu exemplo seria mais duradouro, mais influente que qualquer política que algum dia executasse.

Quando por fim deixou a presidência, acreditava que deveria realmente se aposentar, que deveria ser como o líder romano Cincinato que voltou para a sua fazenda e viveu uma vida tranquila. Mandela particularmente não queria uma vida tranquila – ele ainda amava os holofotes –, mas sabia que não podia deixar voluntariamente a presidência e deixar as pessoas pensarem que ele ainda desejava ser presidente. Quando você sai do palco, não pode ficar enfiando a cabeça pela cortina. Nos primeiros anos estava decidido a não comentar a política do seu sucessor. Sabia que tinha estabelecido a rota; agora era a vez de os outros comandarem o navio.

* * *

Mandela sabe que não vale a pena lutar por todos os problemas e que às vezes é melhor desistir. Há situações nas quais é o mais sensato a fazer para salvar nosso capital. Na Ilha Robben, os prisioneiros estavam constantemente debatendo uns com os outros. Podiam debater sobre qualquer assunto sob o sol, mas havia alguns poucos tópicos fixos: se o Partido Comunista e o CNA eram um; se um futuro governo democrático da África do Sul deveria incluir o Partido Nacional, dominado pelos bôeres; e talvez o tema mais controverso (e certamente o mais divertido), se o tigre era nativo da África. De fato, não há tigres na África; o tigre é nativo da Ásia. Entretanto, havia muitos prisioneiros que estavam convencidos de que a África era o lar do tigre e eles discutiam essa questão apaixonadamente. Havia um prisioneiro em particular que era insistente a respeito do assunto, e um dia Mandela lhe disse que era simplesmente um fato que não havia tigres na África. O prisioneiro explodiu, e a reação de Mandela foi a de não brigar, mas ceder ao argumento e esperar – "Tudo bem", ele disse. E esperou, até que alguns anos depois chegou um prisioneiro que tinha estudado zoologia e viajado pelo mundo. Claro, o recém-chegado disse que o tigre não é nativo da África. Isso satisfez todo mundo – até mesmo o prisioneiro inflexível. Mandela nem mesmo se vangloriou.

* * *

Mandela sempre foi teimoso. Todo mundo é testemunha disso, desde seus companheiros mais próximos na prisão até sua esposa Graça Machel. Quando estrutura suas ideias, é duro mudá-lo. Mas muda, particularmente quando confrontado com a evidência de que se não o fizer, isso terá consequências negativas. Ele luta, discute e tenta persuadir, mas no momento em que compreende que a sua escolha não é a mais prática ou sábia, simplesmente cede – e pronto.

Um dia Mandela me perguntou se eu conhecia algum país onde a idade mínima para votar fosse abaixo de dezoito anos. Eu sabia por que ele estava perguntando. A eleição estava se aproximando e metade da população da África do Sul tinha menos de dezoito anos – a parte do leão dos jovens negros sul-africanos votaria no seu partido, o Congresso Nacional Africano, se tivesse a chance.

Fiz uma pesquisa e informei-lhe com o que resultou não ser uma lista muito notável: Cuba, Nicarágua, Coreia do Norte, Indonésia e Irã. Apesar disso, ele ficou satisfeito e disse: "Muito bom, muito bom", o maior elogio que se podia ouvir. Duas semanas depois ele foi para a televisão sul-africana e propôs que a idade mínima para votar fosse reduzida para catorze anos. Houve um protesto imediato na mídia e em seu próprio partido. As pessoas consideraram a ideia insensata, e muitos usaram palavras menos generosas do que essa.

Poucas semanas mais tarde provoquei-o, dizendo que sua ideia não tinha sido exatamente aceita por aclamação geral. Ele franziu o cenho, inclinou a cabeça para trás e disse que ganharia. No fim, a oposição provou ser muito forte. "Ele tentou nos vender a ideia", relembra Ramaphosa, que estava no Comitê Executivo Nacional, "mas ele era o único que a apoiava. E tinha de encarar a realidade de que não ganharia. Ele aceitou com grande humildade. Não ficou aborrecido."

Quando Mandela muda de ideia, você nunca imagina que ele já tenha pensado de maneira diferente. Ele passa para o outro lado e o abraça com o zelo do recém-convertido. Ele até vai rir da maneira pela qual já lutou pela oposição. Anos mais tarde, piscava para mim quando a questão do voto aos catorze anos surgia. Ele sabe que ceder pode ser uma espécie de vitória também – sabe que ceder significa que você está passando para o lado vencedor. Então, você também pode declarar vitória.

14

Sempre

AMBOS

NELSON MANDELA mostra-se confortável com as contradições. Mesmo as suas. Quando estava com ele, às vezes pensava nos versos de "Song of myself", de Walt Whitman:

> Eu me contradigo?
> Muito bem, então me contradigo
> (Sou enorme, contenho multidões)

Ele *é* enorme. Realmente contém multidões. E com frequência se contradiz. Sabe que a consistência por si só é uma falsa virtude e que a inconsistência não é automaticamente uma falha. Sabe que os humanos são criaturas complexas e que as pessoas têm uma miríade de razões.

Durante uma entrevista, perguntei a Mandela: você abraçou a luta armada porque julgou que a não violência nunca derrotaria o apartheid ou porque era a única maneira de evitar que o CNA se estilhaçasse? Estávamos trabalhando juntos havia aproximadamente um mês e ainda nos acostumando um ao outro. Nas primeiras semanas das nossas conversas, Mandela era completamente formal e respondia às minhas – às vezes embaraçosas – perguntas como se estivesse em uma coletiva de imprensa, proferindo respostas frias e previsíveis. Quando ficamos mais à vontade um com o outro, ele tratava minhas questões como um ponto de partida para contar histórias ou tratar de um assunto maior. Mas nessa época do nosso relacionamento acabamos em algum lugar no meio disso. Normalmente ele considerava uma questão por um instante e então olhava longe quando começava a dar a sua resposta. Dessa vez, contudo, encarou-me com um olhar que parecia combinar perplexidade com irritação.

E então disse: "Richard, por que não ambos?".

Por que não ambos?

Várias vezes fiz perguntas nessa maneira binária. Era desse jeito ou daquele? A razão era A ou B? Sim ou não? Logo no começo percebi que isso o frustrava porque, para Mandela, a resposta é quase sempre "ambos". Nunca é tão simples quanto "sim" ou "não". Ele sabe que a razão por trás de qualquer ação raramente é clara. Não há respostas simples para as perguntas mais difíceis. Todas as explicações podem ser verdadeiras. Todo problema tem várias causas, não apenas uma. É a forma como Nelson Mandela vê o mundo.

Certa vez, ele me contou a parábola do jovem xhosa que deixou sua pequena vila para encontrar uma esposa. Passou muitos anos viajando ao redor do mundo, procurando a mulher perfeita, mas não a encontrou. Finalmente voltou à vila sem uma noiva e, ao chegar, viu uma mulher e falou: "Ah, encontrei minha esposa". Ela, Mandela disse, tinha vivido toda a sua vida na cabana ao lado da dele. Perguntei: "A moral da história é que você não precisa vagar por todo lugar para encontrar o que está buscando, porque está bem diante de você? Ou é que, às vezes, você deve ter mais experiência e conhecimento, a fim de apreciar as coisas que estão mais próximas e são mais familiares?".

Ele ficou pensando por um momento, balançou a cabeça, e então respondeu: "Não há uma única interpretação. Ambas podem estar corretas".

* * *

Quando Mandela saiu da prisão, as pessoas pensavam que ele via o mundo em preto e branco. Afinal, tinha sacrificado a maior parte da sua vida adulta por um simples e claro ideal. Tinha a integridade do seu lado, assim como a Opinião Pública mundial. O apartheid tinha poucos – se é que tinha – defensores. Mas o velho de 71 anos que saiu da prisão revelou ser mais sutil do que as pessoas previam. Ele entendia o medo dos brancos e as frustrações dos negros, apreciava a influência do tribalismo e o poder do modernismo, percebia o apelo da nacionalização e a fascinação do mercado livre, entendia o amor dos bôeres e a aversão dos que lutavam pela liberdade pelo rúgbi. Quase sempre via ambos os lados de uma questão, e sua posição era encontrar algum caminho no meio, alguma maneira de reconciliar esses lados. Em parte, isso vinha de sua necessidade arraigada de persuadir e conquistar as pessoas, mas principalmente por ter uma visão não ideológica do mundo e um apreço pela teia intrincada das razões humanas.

Eu notava a sutileza de sua compreensão no modo como ele tratava seus companheiros – ele sempre via uma mistura de razões, boas e ruins, nobres e ignóbeis. Ele sabia que nenhum de nós é tão bom quanto as melhores coisas que fazemos ou tão ruim quanto as piores delas. Certamente sabia disso em relação a si mesmo. Vi isso na maneira como encarava as questões – sabendo que nenhum lado tinha direito exclusivo sobre a virtude ou sobre a correção. Lembro-me de ele me contar sobre a luta em relação à comida na Ilha Robben. Prisioneiros indianos e *de cor* tinham uma dieta um pouco melhor, com mais carne. Os prisioneiros africanos protestaram que a dieta devia ser a mesma, e era fácil entender seu ponto de vista. Mas ele também teve o trabalho de falar com os prisioneiros indianos e *de cor*, que estavam preocupados que sua dieta pioraria, pelo interesse da "falsa igualdade." No fim, ele persuadiu as autoridades a fornecer a dieta melhor a todos. Ele via todos os lados, falava com todos os lados e tentava reconciliar todos os lados.

Obviamente, nem sempre é possível deixar todo mundo feliz. Às vezes, havia situações dolorosas nas quais ele podia ver ambos os lados, mas tinha de concordar com apenas um. Ele entendia a reticência tradicional africana em relação à AIDS e ao HIV, mas sabia que era um erro não fornecer drogas antirretrovirais para os milhões que estavam sofrendo em seu país. Ele queria Cyril Ramaphosa como seu sucessor, mas entendeu por que seus companheiros mais próximos preferiam Thabo Mbeki. E quando chegou a hora de se divorciar de Winnie, talvez a mais dolorosa decisão pessoal de sua vida, ele ainda via muito do que era bom nela, mas sabia o que tinha de fazer. Foi precisamente por ser capaz de manter o bom e o mau em sua mente, ao mesmo tempo – a memória do que mais tinha amado nela e saber que ela o estava fazendo sofrer –, que a decisão foi tão torturante para ele.

Em suas negociações para o primeiro governo do país, assumiu vários compromissos fundamentais a fim de chegar a um acordo. Embora muitos de seus companheiros se opusessem firmemente, ele deu ao Partido Nacional o direito de manter seus cargos públicos e um governo de união, no qual de Klerk foi vice-presidente. Mas ele conseguia ver o lado dos nacionalistas e sabia que o objetivo principal era o que importava. Sim, havia alguns princípios que não eram negociáveis – "uma pessoa, um voto"; democracia universal –, mas, depois disso, a maior parte das coisas tinha gradações cinza.

Gradações cinza não são fáceis de articular. Preto e

branco é mais sedutor porque é simples e absoluto. Parece claro e decisivo. Por causa disso, muitas vezes gravitamos em volta de respostas "sim" ou "não", quando "ambos" ou "talvez" está mais perto da verdade. Algumas pessoas escolhem um categórico "sim" ou "não" porque pensam que isso parece ser forte. Mas se cultivarmos o hábito de considerar ambos – ou mesmo vários – os lados de uma questão, como Mandela fazia, de manter o bom e o mau em nossas mentes, podemos ver soluções que de outra forma não nos ocorreriam. Esse modo de pensar é exigente. Mesmo se nos mantivermos apegados ao nosso ponto de vista, isso exige que nos coloquemos no lugar daqueles com os quais discordamos. Exige força de vontade, empatia e imaginação. Mas a recompensa, como podemos ver no caso de Mandela, é algo que pode ser claramente descrito como sabedoria.

15

Encontre
SUA PRÓPRIA HORTA

MESMO EM UMA REMOTA mas linda ilha, Mandela precisava de um lugar à parte. Um lugar onde pudesse se perder para se encontrar.

Os primeiros anos na Ilha Robben foram tristes. Os carcereiros eram brutos e rudes. O trabalho era opressivo. E os prisioneiros tinham autorização para receber uma visita e uma única carta a cada seis meses. Para Mandela, o mundo exterior parecia igualmente duro. Seu filho mais velho havia morrido em um acidente de automóvel. Winnie estava sob constante ameaça. O CNA estava no exílio. E o governo do apartheid tinha consolidado seu poder.

Então, no começo da década de 1970, em meio a todos esses problemas, Nelson Mandela decidiu plantar uma horta.

Isso soa mais fácil do que realmente foi. Primeiro, ele teve de pedir autorização às autoridades do presídio, que suspeitavam do mais inocente pedido. Mesmo uma simples solicitação podia levar meses para obter resposta. Ele explicou que queria suplementar sua dieta e a dos seus companheiros com vegetais frescos e preparou uma campanha para persuadir as autoridades a concordar com seu pedido. Cartas iam e voltavam da burocracia da prisão. Memorandos foram escritos. Advogados foram consultados. Finalmente, no sujo pátio, bem diante das celas dos prisioneiros, Mandela recebeu autorização para plantar uma pequena e estreita horta.

O solo era seco, pedregoso, inóspito. A horta tinha aproximadamente dez metros de comprimento por um de largura e ficava paralela à fileira de celas individuais. Guardas ficavam posicionados para observá-lo cavar e plantar.

A princípio, ele usou suas mãos, mas logo adquiriu algumas ferramentas: uma pá e um ancinho. Pediu à família e aos amigos que enviassem sementes. Enquanto os outros homens estavam jogando damas, lendo ou conversando no pátio, Mandela cuidava da sua horta. Os demais prisioneiros sorriam para o velho e sua horta. Ele estava muito orgulhoso dela.

"O solo não era muito bom", ele me contou, "mas consegui, sabe, fazer algumas colheitas."

Ele plantou tomates, cebolas, pimentas e espinafre. Teve autorização para entregar os vegetais na cozinha para que fossem acrescentados à dieta regular de farinha de milho

– e do ocasional pedaço de carne – dos prisioneiros. Nos primeiros anos, os oficiais do presídio permaneceram céticos em relação a Mandela e à sua horta. Suspeitavam que ele tinha alguma razão nefanda que não conseguiam adivinhar. Mandela divertia-se com a reação deles.

"Sabe, há sepulturas em toda a Ilha Robben", ele me contou certa manhã. "Quando estava cavando na minha horta, no pátio, encontrava muitos ossos. Levava esses ossos, quebrava-os um pouco e então os colocava no sol para secar, a fim de que pudesse moê-los para usar como fertilizante para minha horta. Um dia, o OC [oficial comandante], que era um sujeito muito nervoso, aproximou-se, viu os ossos e disse a um de seus companheiros: 'O que são esses ossos? O que o Mandela está fazendo com eles?'. Muito nervoso, imagine. O outro deu de ombros e respondeu que não sabia. Então ele veio até mim e perguntou: 'Mandela, o que você está fazendo com esses ossos?'. Eu lhe respondi: 'Estou usando como fertilizante, moendo-os e usando como fertilizante'. O OC parecia não acreditar. Eu disse: 'Ossos são fertilizantes conhecidos e comprovados'. Mas o OC ainda parecia ter reservas e falou: 'Mandela, a partir de agora vamos comprar fertilizante para você na cidade. Você simplesmente nos diz do que precisa e quanto e vamos trazer para você. Mas nada de cavar mais ossos'. Depois descobri que ele pensou que eu estava tentando causar constrangimentos ao serviço prisional e ao governo, cavando velhos ossos e dizendo que prisioneiros tinham sido enterrados secretamente na Ilha Robben."

Mandela começou a escrever sobre sua horta nas cartas a Winnie e aos outros. Relatava como suas plantas e vegetais estavam indo, como se elas fossem suas filhas. Falava sobre as estações, o solo e suas colheitas. Algumas pessoas podem ter suspeitado de que ele estava falando metaforicamente, mas ele estava apenas escrevendo sobre o que lhe dava prazer. No final da década de 1970, quando a prisão começou a ficar menos opressiva, Mandela dava vegetais aos guardas, para suas famílias, e recebeu autorização para plantar uma segunda horta, fora do pátio. Logo, os carcereiros estavam lhe fornecendo sementes e ele estava lhes fornecendo produtos.

Durante a época em que trabalhamos juntos, fiz uma viagem à Cidade do Cabo para ver a Ilha Robben. Em nossa sessão seguinte, após a minha visita, contei a Mandela que tinha estado lá. Sua primeira pergunta para mim não foi se eu tinha visto a sua cela, ou a pedreira de calcário, ou a solitária. Foi esta: "Eles lhe mostraram onde era a minha horta?".

Na verdade, não tinham me mostrado. Os guardas que me guiaram não haviam estado na Ilha Robben quando Mandela esteve lá. Eles nem sabiam sobre a horta. Tinha visto todo o resto, mas a horta tinha desaparecido. Mandela ficou desapontado.

Na Ilha Robben, onde havia poucos prazeres, a horta de Mandela tinha se tornado sua ilha particular. Acalmava a sua mente. Distraía-o das preocupações constantes sobre o mundo exterior, sua família e a luta pela liberdade. Enquanto tanta coisa murchava no lado de fora, sua horta prosperava. Mandela sempre teve grande poder de concentração, e os outros prisioneiros notaram o quanto ficava absorvido quando estava cultivando. Ficava perdido ali. "Ele amava aquela horta", contou-me Ahmed Kathrada.

* * *

Em 1982, quando Mandela foi transferido para a Prisão Pollsmoor, no continente, ele ficou mais crítico em relação a tratar da terra. Ele e quatro companheiros ganharam um espaço amplo no terceiro andar da prisão. Como únicos prisioneiros no andar, tinham acesso a um grande terraço aberto. Foi lá que Mandela montou uma horta impressionante, usando 32 tambores de óleo de 166 litros de capacidade, cortados ao meio e preenchidos com terra. Plantou tomate, cebola, berinjela, morango, espinafre, repolho, brócolis, beterraba, alface e couve-flor. Trabalhava na horta por duas horas, toda manhã, após seus exercícios, e então novamente à tarde. Isto tornou-se mais do que uma distração. Era um tempo imemorial, em que podia fazer algo criativo, celebrando a vida.

"Então, tinha uma boa terra", ele relembrou um dia, "que trouxemos de fora da prisão, conseguimos um adubo muito bom e, oh, como prosperou!" Quando Mandela falava da sua horta, seu rosto inteiro brilhava.

Estudou como cuidar da terra. Encomendou livros sobre agricultura e horticultura que ele mesmo pagou. Certa vez, passou meia hora me contando sobre os diferentes fertilizantes que usava, explicando, por exemplo, que esterco de pombos "é muito perigoso, é muito forte. Você tem de ter muito cuidado. Pulverizá-lo, colocá-lo na água e ter certeza de que está bem fino". Ele tinha tanta autoridade quando falava sobre fertilizantes quanto quando falava sobre política.

Ficava triste ao lembrar que não conseguia plantar amendoim. "Devo confessar que o meu conhecimento sobre como plantar amendoim não era muito bom. Nunca deu certo." Mas relembra com orgulho como o oficial comandante certa vez pediu aos carcereiros que pegassem uma muda do espinafre de Mandela porque as plantas tinham crescido muito bem. "Tinha muito orgulho daquela horta. Aos domingos, costumava dar vegetais a toda a equipe da cozinha; sim, todo domingo."

Em 1985, ele foi levado à Cidade do Cabo para ser submetido a uma cirurgia da próstata e, quando voltou, foi colocado no primeiro andar, separado dos seus companheiros. Foi o fim da horta, e ele sentiu essa perda durante meses.

Em um mundo no qual não tinha privacidade e poucos bens, a horta foi um pedaço de terra que era inteiramente dele. Em um mundo em que não podia controlar, que o afrontava e punia, que parecia hostil aos seus valores e aos seus sonhos, ela era um lugar de beleza, regularidade e renovação. O esforço era recompensado. As estações mudavam com ordem regular. As sementes se transformavam em plantas. Os caules cresciam. As folhas germinavam.

Ao cultivar sua horta, Mandela estava também renovando uma memória carinhosa de sua infância. No seu diário da prisão, relembra quando o levaram a Mqhekezweni, o Grande Lugar, depois que seu pai morreu, e viu a horta do rei. Ficava à "sombra de duas gumíferas. Havia pereiras e milho na horta da frente, e uma horta maior nos fundos, com macieiras, milho, uma faixa com vegetais e flores e um canteiro de caniços". Ele ficou admirado com a plantação.

Ocasionalmente ele usava metáforas hortícolas quando conversávamos. Os homens, ele dizia, podem ser cultivados como plantas. Certa vez, disse que cada um de nós devia cultivar sua própria horta, mas também deixava claro que, diferentemente do *Cândido*, de Voltaire, não achava que devíamos nos retirar da vida para fazer isso. Para Mandela, sua vida estava a serviço dos outros, e a horta era um descanso da agitação e das tempestades do mundo. Dessa forma, ela o ajudava a fazer seu trabalho principal. Não era um lugar de retiro, mas de renovação.

Samuel Johnson disse certa vez que não há nada mais relaxante que se concentrar em uma tarefa agradável que ocupe a mente, mas que não a sobrecarregue muito. Para Johnson era o *kit* de química; para Mandela era a horta. Para o resto de nós pode ser algo inteiramente diferente. O principal é que cada um de nós precisa de algo alheio ao mundo que nos dê prazer e satisfação, um lugar à parte.

Como Mandela certa vez me disse: "Você deve encontrar a sua própria horta".

A dádiva de Mandela

SIM, ACEITEI O CONSELHO de Mandela – Mary e eu nos casamos em 1994. Três anos depois, na véspera de Natal, telefonamos a ele para dizer que Mary estava grávida. Ele ficou encantado. Esperando uma risada, disse-lhe que se fosse menino seria Rolihlahla. Rolihlahla, poucas pessoas sabem, é o verdadeiro primeiro nome de Mandela. Significa "Agitador de Árvore" em xhosa. Com um *r* vibrante no começo e dois sons fricativos no fim, é ainda mais difícil de pronunciar do que de soletrar. Nunca ouvi ninguém chamá-lo por esse nome e ele nunca o usa, então quis fazer uma espécie de trocadilho. Mas ele não riu. Houve silêncio. Será que eu tinha errado a pronúncia? Será que ele achou que era presunçoso um americano branco fazer uma piada sobre seu nome? Depois de uma pausa, ele disse que gostaria de falar com Mary. Passei o telefone e após ela dizer alô pude ouvir a voz de buzina dele: "Mal posso esperar para ver você – e o pequeno Rolihlahla!".

Alguns meses depois, quando estávamos no hospital para o nascimento de nosso primeiro filho, a enfermeira um tanto carrancuda trouxe sua prancheta para que escrevêssemos o nome dele. Olhamos um para outro e nos lembramos do telefonema de Natal. Não, não podíamos realmente batizá-lo com esse primeiro nome... Então, em letras maiúsculas, com mão firme, escrevi Gabriel Rolihlahla Stengel.

Meus filhos ainda são novos, mas já se encontraram com seu xará várias vezes. O mais novo, Anton, exigiu seu próprio "nome do meio Mandela", e lhe dissemos que é Madiba, o nome do clã de Mandela e como muitos amigos o chamam. Eles entendem completamente quem é Nelson Mandela, o que ele representa e qual papel desempenhou em suas próprias vidas? Não. Para eles, é um velho sorridente de cabelos brancos que os abraça, segura suas mãos e pergunta quais são os esportes que eles gostam e o que comeram no café da manhã. Mas um dia vão saber. Vão saber quem ele é, o que realizou e que é parte do que nos une como família. Vão saber que têm um fio especial que os conecta a essa figura heroica, histórica, e aos valores que ele defendeu. Espero, com devoção, que isso os torne homens melhores e que seja uma dádiva que irão, de alguma maneira, tentar retribuir.

Quando imagino o legado de Mandela para os meus filhos, lembro da troca pungente que ele teve com seu primeiro filho, que uma vez perguntou ao seu pai por que ele nunca podia passar a noite com sua família. Porque havia milhões de outras crianças que precisavam dele, Mandela respondeu-lhe. Apesar de difícil, e poder soar mesmo duro, era o cálculo simples, e no entanto terrível, que Mandela tinha feito. Uma das coisas que Mandela procurou por intermédio do seu próprio sacrifício foi que algum dia outros pais e mães não tivessem de dizer as mesmas palavras para seus filhos e filhas, que seu filho pudesse herdar uma nação livre, onde não teria de lutar pela liberdade, que deveria ser um direito inato. De maneira mais ampla, Mandela quer que exista uma linha entre sua vida, seus valores, suas realizações e todo mundo que o suceda. Apesar de ser tão incomparável, ele dizia que era parte de uma longa cadeia de liderança – um *continuum* entre aqueles que vieram antes dele e aqueles que virão depois, uma grande e poderosa cadeia daqueles que lutam para ampliar a liberdade humana.

No caso de Mandela, ele se impregnou de modelos de liderança do tempo em que era menino. Do rei que o criou, aprendeu a importância de ouvir e guiar, em lugar de governar por meio do mando. Ele se sentava aos pés do rei, ouvia as histórias de antigos chefes xhosas que lutaram pelo seu povo e viu a si mesmo como herdeiro de uma longa tradição de heróis africanos. Dos diretores de escola ingleses, aprendeu sobre a importância do estudo, da honra e da disciplina. Enquanto esteve em Fort Hare, ouviu os discursos emocionantes de Winston Churchill da época da guerra e viu como um líder pode inspirar uma nação. De Walter Sisulu, seu primeiro mentor em Johannesburgo, aprendeu como ser pragmático e realista na busca por seus objetivos. Do seu sócio no escritório de advocacia e amigo Oliver Tambo, aprendeu a controlar suas emoções, ser paciente e não reagir de forma tão rápida. Na viagem que fez para fora da África do Sul antes de ser confinado na prisão por décadas, ficou impressionado com a maneira pela qual o presidente tanzaniano, Julius Nyerere, se apresentava: um homem do povo, com uma casa modesta e um carro pequeno. Em Addis Abeba, impressionou-se com a dignidade real de Hailé Selassié e seus uniformes extravagantes. Na Ilha Robben, tornou-se seu próprio professor, em vários aspectos, mas do seu antigo amigo Sisulu (os outros prisioneiros referiam-se a Walter como Alá, porque era muito sábio) aprendeu como incluir outros pontos de vista, reconciliar-se com rivais e chegar a um consenso.

Mesmo após sair da prisão e se tornar o primeiro presidente democraticamente eleito da África do Sul, continuou a aprender com outros líderes. Ele me contou como ficou encantado e honrado que o presidente George Bush pai o tivesse incluído em sua rodada de conversas com líderes mundiais e admirava sua generosidade. Ficou muito admirado com o entusiasmo, a energia e o vigor de Bill Clinton e percebeu que um estilo mais informal de liderança que o seu próprio poderia ser bastante eficaz. De Tony Blair, viu o quanto era importante para um líder ser capaz de explicar as ideias e as políticas às pessoas, mesmo quando os eleitores não concordavam com elas.

A cadeia de liderança é particularmente importante para Mandela por causa do conceito africano de *ubuntu* – o que os ocidentais chamariam de irmandade. Essa ideia, que mencionei neste livro, é vital para entender como Mandela pensa e vê a si mesmo. A palavra tem origem no provérbio zulu *Umuntu ngumuntu ngabantu*, que com frequência é traduzido como "Uma pessoa é uma pessoa por meio das outras pessoas". A ideia é que não fazemos nada inteiramente sozinhos, um conceito que está no extremo oposto da noção do individualismo que tem caracterizado o Ocidente desde a Renascença. O *ubuntu* vê as pessoas menos como indivíduos que como parte de uma teia infinitamente complexa de outros seres humanos. É a ideia de que somos todos ligados uns aos outros, que *eu* é sempre subordinado a *nós*, que nenhum homem é uma ilha.

Às vezes Mandela falava sobre seus netos e eu dizia: "Mas fulano não é filho de um de seus filhos". Ele sorria, balançava a cabeça e falava: "Em nossa cultura, os filhos de nossos parentes são todos netos". Mandela se divertia com o sentido literal das árvores genealógicas ocidentais. Em sua visão, somos todos galhos da mesma grande árvore. Isso é *ubuntu*.

Embora possamos todos ter alguma conexão com Mandela, ele também permanece sozinho e fora de nós, uma encarnação de algo maior do que nós mesmos, a personificação do melhor da humanidade. Sua experiência é singular e universal. Ele nos comove porque é o exemplo moderno do herói arquetípico, o homem que é arrancado do nada, enfrenta um sério desafio, sofre grandes provações e tragédias, quase fracassa, então retorna e consegue a harmonia. É a mesma narrativa que vemos em Buda, Moisés, Maomé e Jesus. A vida de Mandela tem o mesmo arco e uma ressonância similar.

* * *

Como aquelas outras grandes figuras, Mandela inspira um sentimento de confiança. A confiança é o alicerce da liderança. Acreditamos que um líder é honesto, capaz e tem uma visão sobre aonde ir. Mas a confiança opera em um nível ainda mais profundo. Acreditamos que o líder é quem ele aparenta ser, que a pessoa pública e privada são as mesmas. No caso dele, Nelson Mandela é o homem que aparenta ser. Os valores que ele adota em público são os que pratica em particular. Em todos os momentos em que estivemos juntos, ele nunca se inclinou à frente para dizer: "Bem, em *off*, fulano é uma pessoa muito desagradável". Ele contém muitas contradições, mas poucas hipocrisias.

Claro que isso não significa que ele não possa desapontá-lo ou mesmo, às vezes, ser banal. De vez em quando, ele não irá confrontar algo ou cumprir promessas. Ele sabe que a seriedade e a humildade podem ser virtudes públicas, mas não são necessariamente virtudes privadas. Tem desejos humanos e não os esconde, embora faça o máximo para contê-los. Ele é grande porque triunfou sobre seus defeitos, não porque não os tenha.

Certa vez perguntei-lhe se tinha ficado surpreso com a fama quando saiu da prisão, seu rosto em milhões de pôsteres e camisetas. Provoquei-o dizendo que tinha se transformado em uma lenda viva.

"Nã-o-o", ele disse, quase recuando. "Não acho que é saudável para as pessoas pensar que você é um Messias. Nesse caso, elas só vão ficar desapontadas. Elas têm de saber que seus líderes são feitos de carne e osso, que são humanos. Quero que pensem isso de mim. Se pensam que você é um salvador, as expectativas são muito altas. Deixe-as pensar em você como um herói, sim, mas não como uma lenda."

O mundo não apenas tratou Mandela como uma celebridade. Ele também o sentimentalizou, transformando-o em uma espécie de Papai Noel negro, o velho bondoso que fez sacrifícios inimagináveis por uma causa moral, o símbolo sorridente da pura bondade. Mas herói ou não, não é anjo. Ele tomou inúmeras decisões difíceis em sua vida – que podem ter sido erradas ou injustas, decisões que machucaram ou magoaram as pessoas, até custaram suas vidas. Sabe que liderar muitas vezes significa ter de escolher entre duas opções ruins, e que homens bons têm de tomar decisões que têm consequências ruins.

Ao mesmo tempo, tomar decisões difíceis não precisa significar violar princípios essenciais. Como ele dizia, você deve refletir o objetivo no modo como o procura. Às vezes, citava Gandhi: "Seja a mudança que você procura". Mandela era tolerante a tudo, exceto à intolerância. Ele nunca discriminaria em seu objetivo para acabar com a discriminação. Um objetivo nobre não deve ser perseguido através de meios ignóbeis. Práticos, sim; venais, não.

É essa mesma natureza prática – e não somente humildade – que levou Mandela a rejeitar ser visto como um salvador. Isto cria muitos obstáculos. Essencialmente, ele não queria prometer demais e fazer pouco – isso é a morte para um político e com certeza para um Messias.

Então, perguntei-lhe qual era a diferença entre uma lenda e um herói. "Ah, sabe, há poucas lendas. As lendas são muito raras, algo que não foi visto. Mas há milhares de heróis hoje na África do Sul. Um herói é um homem que acredita em algo, que é corajoso, que pode arriscar sua própria vida pelo bem da comunidade." Mandela sabe que foi um herói, mas mesmo um herói está nos ombros de outros. Existiram milhares de homens e mulheres que arriscaram suas vidas para que ele pudesse arriscar a sua, milhares de homens e mulheres cujos atos de coragem desconhecidos e esquecidos permitiram que ele demonstrasse a sua.

A coragem está enraizada no aqui e no agora. Mandela é um materialista no sentido filosófico. Desconfia de tudo que não possa tocar, e durante anos evitou qualquer referência ou dependência a um poder superior. Confiou em seus companheiros, não em uma divindade distante. Ele não reza; ele pondera e então age. Para os que dizem que tudo acontece por uma razão, ele responde que *nós* somos a razão e aqueles que fazemos as coisas acontecerem. Não há destino que molde nosso fim, nós mesmos o moldamos.

* * *

Tornou-se um clichê os líderes afirmarem que não têm arrependimentos. É como se fosse sinal de fraqueza admitir algum arrependimento. Mandela arrependeu-se de várias coisas. Nas grandes questões, julga que escolheu o rumo certo, mas sabe que fez vários desvios errados ao longo do caminho. Sua tristeza vem do pensar consigo mesmo sobre os caminhos que não foram tomados, se o sacrifício da sua vida privada valeu a pena. Basicamente, ele diz que sim, mas isso não aplaca sua dor.

Após o assassinato de Chris Hani, fui com Mandela para a casa de Hani, onde ele se encontrou com a viúva. Depois de falar com ela a sós, ele se dirigiu às cerca de vinte pessoas que lá estavam. Sua empatia com a sra. Hani era palpável. Ela era uma mulher muito forte, ele disse, "mas suas feridas são invisíveis aos olhos. Feridas invisíveis são muito dolorosas, ainda mais que aquelas que você vê". Estava claro para mim que ele estava falando também sobre si mesmo.

Tivemos nosso último encontro oficial em uma manhã, durante um fim de semana, em sua casa em Houghton. Eu estava sempre tentando forçá-lo a ser mais poético e filosófico e ele quase sempre evitava. Nesse dia, tentei deixá-lo um pouco mais introspectivo e, como sempre, ele ofereceu respostas práticas e políticas a todas as minhas perguntas. Mas, perto do fim, depois de todo o meu estímulo, ele fez uma pausa, olhou para fora da janela e disse: "Homens vêm e homens vão. Eu vim e irei quando minha hora chegar". Até a sua eloquência é pé no chão.

Quando nosso tempo acabou, ele se levantou e fui apertar a sua mão. Eu sabia que não iria vê-lo novamente por algum tempo, que tínhamos chegado ao fim de uma jornada intensamente íntima, e pus meu outro braço ao redor do seu ombro. Mandela não é uma pessoa que demonstra afeto fisicamente, mas, após um breve instante, colocou seu braço em volta do meu e me puxou para mais perto em um abraço. Nesse momento, não aguentei e abracei-o fortemente. Pude sentir a parte de trás da sua cabeça contra a minha e o seu braço nas minhas costas. Sabia que ele podia sentir minha emoção e fiz o máximo para segurar as lágrimas. Mesmo aos 75 anos, ele permaneceu ereto e firme. Nessa hora, não pude deixar de pensar em Eddie Daniels, o prisioneiro de 1,60 metro da Ilha Robben que disse que, quando estava realmente melancólico, se pudesse apenas ver Mandela, tocá-lo, abraçá-lo, era o suficiente para consolá-lo, revivê-lo, fazer com que quisesse viver novamente. Pensei nas centenas, talvez milhares, de homens ao longo das décadas, homens em circunstâncias lúgubres e terríveis, homens com medo e desespero, homens enfrentando a dor e até a morte que o tinham abraçado em busca de conforto e de força. Ele compreendeu isso e deixou-me abraçá-lo.

Depois de um longo momento, ele disse "tudo bem" e nos separamos, e fiquei observando-o, enquanto ele ia lentamente para o andar superior.

* * *

Encontrei Mandela várias vezes nos anos posteriores ao nosso trabalho, mas seria um mentiroso se dissesse que em qualquer outro momento compartilhei daquela mesma intimidade com ele novamente ou que não desejei isso. De fato, virei uma daquelas centenas de homens que viveram lado a lado com ele sob as circunstâncias mais duras e difíceis e, uma vez fora da prisão, perderam aquela conexão intensa. Das dezenas de prisioneiros com os quais conversei ou conheci, uma das únicas coisas, talvez *a* única de que sentiam falta da prisão, era aquela conexão íntima, diária e poderosa com o prisioneiro número 46.664. Também senti falta. Mas tal como aqueles homens, sabia que ela não podia ser recuperada, que tinha nascido em certo tempo e espaço. E, apesar disso, não diminui o poder da conexão. Cada um de nós mantém um pequeno pedaço dela em nosso íntimo.

De forma curiosa, trabalhando com Mandela em sua autobiografia tive de interiorizá-lo e as suas ideias. Muitas vezes tive de perguntar a mim mesmo: "O que Nelson Mandela faria?". Era um exercício poderoso. Sempre me tornava – ao menos naqueles momentos – uma pessoa melhor, mais calma, mais racional, mais generosa. Queria ser capaz de dizer que aquelas mudanças ficaram comigo – muitas vezes escapuliram. Mas o exemplo de Mandela permaneceu comigo, como espero que permaneça com você. Tão distante quanto as circunstâncias da vida dele possam estar da sua vida, seu exemplo nos dá algo a que nos agarrar, um conjunto de princípios e valores que podem nos guiar em momentos difíceis.

Um dia, antes de Mary e eu nos casarmos, Mandela disse a ela: “Dou-lhe a minha bênção porque o Richard é meu filho”. Amo que ele me considere um de seus filhos – e eu o amo –, mas também sei que tenho milhões e milhões de irmãos e irmãs.

Agradecimentos

A MINHA TRAJETÓRIA para este livro – e para minha conexão perpétua com a África do Sul – ocorreu ao acaso. Susan Murcko e Jann Wenner assumiram o risco e me enviaram para a África do Sul, pela *Rolling Stones*, na década de 1980, quando as cidades estavam em chamas. Alice Mayhew publicou um livro que surgiu daquele artigo da revista e fez um trabalho extraordinário de edição. O sempre generoso Dick Stolley deu uma cópia do livro a Bill Phillips, que estava procurando um escritor para colaborar com Nelson Mandela. Bill leu o livro durante a noite, telefonou-me na manhã seguinte e me fez uma oferta que não pude recusar. Bill era o sábio e maravilhoso editor das memórias de Nelson Mandela – e a companhia sempre agradável naquela jornada transformadora. Anos depois, meus talentosos colegas da *Time* – Romesh Ratnesar, Michael Elliott e Bobby Ghosh – insistiram para que eu escrevesse uma matéria de capa sobre Mandela em seu nonagésimo aniversário. Josh Tyrangiel usou sua hábil pena para transformar aquele artigo em algo além do comum.

Para aquele artigo, assim como para este livro, as pessoas extraordinárias do Centro de Memória Mandela – Achmat Dangor, Verne Harris e Sahm Venter – foram extremamente generosas com seu discernimento. O grande Ahmed Kathrada – que esteve ao lado de Mandela durante aqueles longos anos na prisão – enriqueceu este livro com seu conhecimento e, mais importante, sua amizade.

Meu agente, Joy Harris, esteve ao meu lado durante todo esse tempo e sempre me deu vigoroso apoio. Minha assistente, a incomparável Tosca LaBoy, auxiliou-me de várias maneiras. Chris e Priscilla Whittle não apenas forneceram o lugar mais lindo do planeta para que eu escrevesse, mas sua amizade duradoura. Meu chefe, John Huey, apoiou entusiasticamente este livro e me ensinou muito sobre liderança na barganha. E, na *Time*, o incomparável Ali Zelenko e sua magnífica equipe de relações públicas – Betsy Burton e Daniel Kile – realizaram seu usual trabalho soberbo.

Rachel Klayman foi uma editora extremamente solícita e criativa, cuja atenção aos detalhes tornou este livro melhor. Eu me submeteria sempre ao seu trabalho de edição. Jenny Frost e Tina Constable, de modo decidido, me apoiaram neste projeto. Penny Simon fez maravilhas no campo da publicidade, e toda a equipe da Crown foi extraordinariamente dedicada.

Gostaria de agradecer à minha esposa, Mary, minha eterna conexão com a África do Sul, a inspiração para este livro.

E, finalmente, para o Gabriel e o Anton, aqui está o que o velho homem sabe.

Este livro, composto nas fontes Electra e Kabel,
foi impresso em pólen soft 80 g na Gráfica Cromosete.
São Paulo, Brasil, inverno de 2010.